Zodiamágico

Zodiamágico

Título de la obra: **ZODIAMAGICO**

Diseño de Portada: Gilberto Velázquez Santillán
Karen Lara

Fotografía: Cándido Díaz

Diseño Gráfico de Ramón Gaytán Molina
Maquillaje y peinado de Karen Lara: Hugo McKenzie

Primera edición: Noviembre de 1992
1ª reimpresión en México, 1993

ISBN 968-685-401-0

Impreso y hecho en México.
Printed and made in Mexico.

1ª reimpresión Consta de Diez Mil Ejemplares

Este ejemplar contiene una interesante investigación realizada por Karen Lara, quien inició sus estudios de Astrología siendo apenas una adolescente, desde entonces han transcurrido veinte años. Médicos, políticos, artistas, amas de casa y profesionales en general consultan diariamente su horóscopo en la búsqueda de un pronóstico. El texto es ameno, sorpresivo e interesante ¡algo distinto!

Dedicado a

MANUEL LOZANO SERRANO,

quien iluminó mi vida con su gran sabiduría...

PRODUCCIONES KL
Quintana Roo 35-C

INDICE

CAPITULO I
GENERALIDADES DE LOS SIGNOS

CAPITULO II
FISONOMIA DE ELLOS Y ELLAS

CAPITULO III:
SU COMPATIBILIDAD CON LAS PERSONAS DE TODOS LOS SIGNOS... AMOR, SEXO, ESTUDIOS, VIAJES, NEGOCIOS Y AMISTAD

CAPITULO IV
ASCENDENTES, AVERIGÜE: SALUD, CARACTER, DINERO, ACIERTOS, PROFESION ADECUADA Y ERRORES

CAPITULO V
RECETAS PARA OBTENER: SALUD, AMOR Y DINERO
¡ARMONICESE DE ACUERDO A SU SIGNO!
INCLUYE: HORARIOS, DIAS Y PUNTOS CARDINALES, BENEFICOS PARA USTED

CAPITULO VI

PIEDRAS ASTRALES, FRASES DE MEDITACION, NUMEROS, PLANETA, FLORES, PERFUME, SIMBOLO, ANIMAL DE SUERTE, COLOR, SIGNO OPUESTO Y METALES

PROLOGO

Queridos amigos:

La Magia y la Astrología siempre han ido de la mano, porque se complementan extraordinariamente. Recordemos que en los Evangelios se menciona que tres Magos de Oriente emprendieron la gran aventura de viajar a Belén para adorar a Jesús, el recién nacido Mesías y Salvador de la Humanidad. Según la tradición, estos Magos habían hecho precisos cálculos astrológicos para determinar con exactitud este acontecimiento glorioso. Los regalos que le ofrecieron al Divino niño fueron: ORO, INCIENSO Y MIRRA, que tiene un profundo significado mágico. El oro representa la Luz de la Inteligencia, el incienso el Poder Espiritual y la mirra la Facultad de Sanar y expulsar las malas entidades.

La periodista y escritora KAREN LARA, es en Latinoamérica una de las más destacadas personalidades que se ha dedicado al estudio, experimentación y difusión de la Magia y la Astrología. En esta obra, ella nos revela de una manera práctica, amena y encantadora la misteriosa relación que tiene cada signo zodiacal con determinados metales, colores, flores, números, perfumes, talismanes, piedras preciosas y semi-preciosas. Nos brinda una descripción nueva y muy original de la personalidad, comportamiento y reacciones de todos los signos. Además nos revela recetas y encantamientos para mejorar nuestra vida en el terreno amoroso, económico y social.

La hechizante belleza de KAREN da un toque de éxito y asombro a todos los libros que ha escrito, así como a sus espectaculares presentaciones en la Radio y Televisión a nivel Nacional e Internacional.

Con mucho entusiasmo los invito a leer esta extraordinaria obra, para que encuentren en sus páginas verdaderos tesoros que los harán más amados, felices y poderosos.

Muy sinceramente:

Esteban Mayo

INTRODUCCION

La antiquísima ciencia de los astros desde tiempo inmemorial ha causado atracción al ser humano. Grandes personajes de la historia han recurrido a ella para solucionar conflictos existenciales. En la época actual en Francia, Inglaterra y Norteamérica muchas compañías, importantes, analizan la compatibilidad astrológica de los empleados y han obtenido maravillosos resultados. Incluso el Expresidente Ronald Reagan consultaba a una astróloga antes de tomar alguna determinación importante. Esta noticia fue conocida en todo el mundo. Mi amigo y maestro Esteban Mayo le comentó en el programa televisivo del estimado Raymundo Díaz González –Canal 13– que Reagan asumió el poder de acuerdo a la posición de los astros. Como apreciamos la inquietud está latente. De acuerdo a mis propias experiencias cuando voy a las promociones de mis libros; cientos de personas desean saber acerca de su ascendente y la afinidad que puedan tener con las personas de otros signos lo cual me motivó a escribir este libro que permaneció cerca de seis años en el tintero. Mi primer acercamiento con la astrología fue con Esteban Mayo hace veinte años, posteriormente cuando viví en París la estudié con Mark Duval y finalmente con el maestro Manuel Lozano Serrano, estas dos personalidades, lamentablemente, fallecieron hace cuatro y tres años respectivamente. La idea de terminar este libro fue de Esteban Mayo, deseo que a usted le parezca interesante, sobra decir que fueron muchas horas de trabajo, porque debíamos sintetizar la información y presentarla lo más amena posible. De lo anterior se deriva la ejemplificación de los signos con personajes famosos cuyas vidas son públicas y nos ayudan a enriquecer el texto. Por otra parte, en los últimos diez años he tenido la fortuna de colaborar en programas tanto de Radio como de Televisión y ello ha permitido corroborar las características generales, porque al decir de Esteban Mayo con toda la razón: "Todos poseemos huellas digitales pero son diferentes", por esto mismo es necesario recurrir a la carta natal, cuando uno desea averiguar más a fondo algo sobre aspectos astrológicos los cuales nos ayudan, indiscutiblemente, a conocernos bien. Asimismo, le sugerimos responder el cuestionario adjunto porque la permitirá definir su personalidad.

También hablamos acerca de los rasgos físicos de cada hombre y mujer pertenecientes a los distintos signos, ello nos ayuda a descubrir el signo de alguien trátese del solar o del ascendente.

Después revelamos las características de nuestras relaciones con los otros nativos en diferente aspectos y usted podrá obtener una mayor evaluación al revisar las características generales de quien le interese, porque en cada parte del libro obtendrá datos.

Respecto al Ascendente de pronto surgió un fenómeno; recibíamos cientos de llamada telefónicas del público que estaba ansioso por descubrirlo, las matemáticas, incluso ayudados de computadoras jamás nos permitieron darnos a basto, entonces el Ingeniero Norberto Canseco elaboró la tabla publicada en este libro que aparece de su puño y letra. Esto sucedió en 1985 y desde entonces le prometimos un crédito en este ejemplar, se dice que nunca es tarde para cumplir una promesa. Reiteramos, el Signo Ascendente revela el carácter, los gustos y las aversiones que sentimos, también influye en las relaciones amorosas y en los negocios. El signo solar –el que usted conoce– de acuerdo a Esteban nos indica la misión que debemos cumplir en nuestro tránsito por la vida.

Y, según el título *ZODIAMAGICO* pretendemos mostrar la parte mágica de la Astrología como son las recetas para atraer la salud, el amor y el dinero elaboradas de acuerdo a Mark Duval quien las basó en los ingredientes energéticos adecuados para cada nativo, incluso nos recomendó combinarlas con las del signo natal y el ascendente esto lo especificamos en el capítulo VI.

Después encontrará información acerca de las Piedras Astrales, su frase de meditación que deberá repetir tres veces en la mañana y tres en la noche; recuerde las palabras cobran un significado en el cosmos astral y cada una de ellas le pertenece de acuerdo a su signo, también puede combinarlas con las del ascendente. Conocer su número de suerte es importante puede aplicarlo en diversas circunstancias tales como: rifas, lotería y tomarlo como el día o mes favorable para usted. Las flores y el perfume puede utilizarlos para adornar su hogar en lo segundo en su persona. En el caso del animal de suerte adquiera una figura representativa de cualquier material; llévela con usted o bien, colóquela para adornar alguna parte de su casa. En cuanto a su color de suerte utilícelo en ropa interior o externa y atraerá energía altamente poderosa.

En el capítulo séptimo concuerda el secreto de los anillos. Podrá usarlos de acuerdo a sus intereses ya sean materiales o espirituales. También adjuntamos el dibujo de una mano para indicar con mayor precisión el uso adecuado de los anillos. Además incluímos la información de la piedra y metal utilizado para la fabricación de estos.

Respecto a los símbolos secretos de los Arcángeles fue una información otorgada por el maestro Manuel a quien dedico este libro ya que, me reveló muchos de los secretos tanto de la magia como de la astrología que él practicó durante más de sesenta años; un Virgo adorado quien radicó en la India cuarenta años, son trazos simples, pero nuestro creativo Ramón Gaytán los hizo a base de líneas, porque: "Debía conservarse un estilo artístico" bueno es Acuario por tanto su creatividad artística no se discute. Continuemos: estos dibujos debe hacerlos en pergamino virgen e introducirlos dentro de una caja de madera o metálica; si desea atraer mayor energía también puede exponerlos a la luz de una vela cuyo tono sea de acuerdo a su signo –consultar el libro cassette *KAREN LARA Y... SU MAGIA BLANCA*–, también encontrará el punto cardinal indicado para dibujar el símbolo del Arcángel y el elemento que los rige así como el color, puede hacerlos todos; pero debe guardarlos en diferentes cajitas para respetar la energía de cada uno.

También sugerimos algunos regalos adecuados para el hombre y la mujer de todos los signos. Así como el Calendario Lunar. ¡Qué lo disfrute !

KAREN LARA
Verano del '92

CAPITULO I

PERSONALIDAD, SENTIMIENTOS, COSTUMBRES DE ELLOS Y ELLAS

Cuestionario para Determinar la Influencia de su Signo...

Ramón Gaytán M.

ARIES

21 DE MARZO AL 20 DE ABRIL

El símbolo astrológico de Aries indica el flujo poderoso de energía, surgido desde la raíz más profunda de su ser y tiende a abrirse su propio camino en el plano mental. Bajo este signo, nacen personas muy originales, carismáticas e inteligentes...

El jeroglífico hebreo de Aries representaba, simbólicamente, el Sacrificio...

— ¿Es cierto que usted se siente la Divina Garza?

— No me creo ¡Yo soy!

MARÍA FELIX

CARACTERISTICAS GENERALES DE ARIES

EL CARNERO... EL SIGNO DE LOS PIONEROS Y LOS GUERREROS

Los arianos son los llamados líderes del zodiaco, poseen gran carisma y energía, jamás fracasan cuando inician una empresa... Debido a su indiscutible entusiasmo prácticamente desconocen la palabra imposible. Tienen un fino sentido del humor que les ayuda a vivir en armonía, claro siempre y cuando no se les suba lo Aries a la cabeza –su parte vulnerable– porque entonces cambian su amabilidad por enojo... Les agrada conocer personas de ideas progresistas, ya que ellos con frecuencia se erigen en calidad de pioneros en cualquier actividad. Recordemos que Aries es quien abre la rueda del zodiaco... Rara vez le conceden importancia a la crítica... Líderes natos con su inteligencia, energía y carisma obtienen la aceptación de las personas quienes llegan a obedecerles ciegamente... Cuando desee agradarlos compórtese seguro de sí mismo, proyecte sabiduría e inteligencia y por favor, sea directo en sus conceptos, porque los arianos huyen de aquel que les exponga una serie de ideas rebuscadas... Los nativos del signo pueden amasar verdaderas fortunas, quizás porque de acuerdo con la leyenda griega, la constelación de Aries debe su nombre al "Vellocino de Oro", el carnero mágico cuya lana era de oro... También ejercen gran influencia sobre la gente para bien o para mal, como en el caso de Adolfo Hitler y ¿quién podría negar la influencia social y el carisma de Charles Chaplin? Y, el empeño artístico de Bette Davis, quien un día, al verse sin trabajo se anunció en el periódico para solicitarlo... Todos ellos pertenecieron al mismo signo: Aries...

LA MUJER DE ARIES

Ahora le invitamos a leer acerca de las características de las mujeres arianas... Ellas son las más temperamentales del zodiaco, cuya agresividad y valor les hace parecer dominantes e independientes... Su naturaleza expansiva y honesta les ayuda a gozar de gran popularidad con el sexo opuesto. Por lo que, no es difícil observar a una ariana rodeada de pretendientes y por ende, con frecuencia, les parece complicado seleccionar el hombre adecuado a sus necesidades y temperamento... Líder natural, le atraen los puestos ejecutivos y crealo, lo desempeñará con inigualable destreza, porque les ayuda su enérgico temperamento, además de ser muy trabajadoras... Durante los años juveniles suelen comportarse de forma inmadura; pero después, cambian radicalmente su forma de actuar... Pero no hay nada peor que tratar con una ariana frustrada, lo cual ocurre cuando no logran sus propósitos; entonces su agresividad aumenta notablemente y... cuando una nativa del signo le diga: ''No puedo acudir a tal sitio, porque tengo migraña''... Nunca lo tome como un pretexto femenino, dicho malestar forma parte de las características de las arianas... Para determinar la personalidad de ellas ¿quién podría dudar del carisma, inteligencia y belleza de María Félix? O de la creatividad, atractivo y recia presencia de Julissa, ambas nacidas bajo el signo del carnero...

Personajes de Aries
Doris Day, Joan Crawford, Simone Signoret y Francis...

EL HOMBRE DE ARIES

Amante irredento de las aventuras, en especial durante la adolescencia; por el resto de su vida suelen conservar su carácter juvenil... Les fascina el trabajo arduo, el amor y sus placeres, viajar; pero sobre todo afrontar cualquier reto por más difícil que sea. Basta analizar la personalidad de Marlon Brando... Para crecer emocionalmente le es indispensable retroalimentar sus conocimientos. Luego, no le extrañe su continuo interrogatorio; necesita averiguarlo todo para obtener cierta estabilidad emocional, por lo anteriormente expuesto lleva una vida social muy activa. Debido a su inquietud nata, le resulta imposible establecer una relación amorosa impregnada de fidelidad. Le atraen todas las mujeres, porque respeta su mundo y difícilmente se queda con el deseo de perdérselo. Dicha situación se presenta con gran fuerza antes de los 40 años para después calmar su ímpetu. Si leyó usted bien: ''calmar'' porque su hábito nunca desaparece... Además es fogoso y romántico, pero distraído, hecho que suele atraerle algunas dificultades con las mujeres... Es importante saber que cuando domina a una persona se aleja en busca de un nuevo reto amoroso... Exige fidelidad; es muy celoso, solo que para él es muy difícil corresponder... Como guerrero, lucha por sus ideales y por el bienestar familiar, excelente padre y amigo excepcional; pero cuando alguien le hace una mala jugada muestra su faceta agresiva, porque sabe defender sus derechos y en este renglón es un verdadero experto... Carisma y talento únicos para amasar verdaderas fortunas y popularidad...

Aries Triunfadores
Rigo Tovar, el desaparecido Emilio Tuero, Roberto Carlos, Luis Miguel, Steven Tyler –vocalista de Aero-smith–; James Caan, el magnífico actor Jorge Ortíz de Pinedo y el señor Presidente Carlos Salinas de Gortari...

Signo
Masculino, cardinal y el primero de fuego...

¿SE CONSIDERA UNA TIPICA NATIVA DE ARIES?

Responda con sinceridad el siguiente cuestionario. Cada respuesta afirmativa equivale a cinco puntos; las negativas valen un punto y algunas veces: cero puntos...

1) ¿Se considera una mujer fuerte para afrontar cualquier eventualidad?

SI NO ALGUNAS VECES

2) ¿Rechaza a los hombres de carácter débil?

SI NO ALGUNAS VECES

3) ¿Se considera hiperactiva?

SI NO ALGUNAS VECES

4) ¿Le agradaría ocupar puestos ejecutivos?

SI NO ALGUNAS VECES

5) ¿Perdona las ofensas con facilidad?

SI NO ALGUNAS VECES

6) ¿Padece jaquecas?

SI NO ALGUNAS VECES

7) ¿Se considera afortunada con el sexo opuesto?

SI NO ALGUNAS VECES

De 20 a 35 puntos: usted es la típica ariana en busca de la superación tanto personal como laboral...

De 0 a 19 puntos: posee algunas características propias del signo, pero no le rige en su totalidad... Busque el cuestionario que pertenezca al ascendente y resuélvalo...

¿SE CONSIDERA UN TIPICO NATIVO DE ARIES?

Responda con sinceridad el siguiente cuestionario. Cada respuesta afirmativa equivale a cinco puntos; las negativas valen un punto y algunas veces, cero puntos…

1) ¿Le agrada imponer sus puntos de vista?

SI NO ALGUNAS VECES

2) ¿Se considera afortunado especialmente en el aspecto financiero?

SI NO ALGUNAS VECES

3) ¿Es posesivo con quienes ama?

SI NO ALGUNAS VECES

4) ¿Le resulta difícil rechazar las aventuras de tipo amoroso?

SI NO ALGUNAS VECES

5) ¿Le disgustan las personas inseguras?

SI NO ALGUNAS VECES

6) ¿Le agrada convertirse en el centro de atracción?

SI NO ALGUNAS VECES

7) ¿Le agrada imponerse retos todos los días?

SI NO ALGUNAS VECES

De 20 a 35 puntos: ¡felicidades! usted es el típico nativo de Aries, brillante, carismático y dueño de la situación…

De 0 a 19 puntos: tiene algunas características propias del signo, pero no le rige en su totalidad… Busque el cuestionario perteneciente al ascendente y resuélvalo…

TAURO

21 DE ABRIL AL 20 DE MAYO

El símbolo astrológico de Tauro es un sol con una luna sobre él. Su verdadera cualidad es la perseverancia y la paciencia...

Su representación simbólica es el toro... Júpiter se convirtió en él para raptar a Europa...

— *"No, me considero bella, pero tuve paciencia y triunfé en Hollywood"...*

BARBRA STREISAND

CARACTERISTICAS GENERALES DE TAURO

EL TORO... EL SIGNO DEL PRODUCTOR Y DEL CONSTRUCTOR...

Trátase del segundo signo zodiacal y el primero del elemento tierra cuyo símbolo, representado por un toro, alude a la leyenda mitológica en la que Júpiter se convirtió en dicho animal para raptar a Europa... Implica la fuerza, la potencia, la obstinación y la ira, características propias del toro... Las personas nacidas bajo este signo se distinguen por la gran admiración profesada hacia lo estético, don conferido por Venus, su planeta regente y su marcado interés hacia los bienes materiales... De naturaleza muy emotiva, realizan cualquier actividad con ahínco; sea cual fuere... Debido a su gran sentido para admirar la belleza, poseen enormes facultades para desarrollarse en cualquier faceta artística... Sienten verdadero placer cuando alguien solicita su ayuda, incluso recurren a todos los medios para solucionar los problemas ajenos... Poseedores de mucha fuerza de voluntad no hay quien les haga cambiar de opinión cuando se trate de luchar en pro de sus puntos de vista... Respecto a la salud es magnífica, aunque en ocasiones padecen fuertes dolores de garganta –su parte vulnerable– o del estómago... Los Tauro, admiran a la gente progresista y les atrae conocer personas innovadoras... De carácter reservado, no le extrañe cuando respondan con monosílabos. En general son pacíficos, pero no trate de sacarles de quicio, porque les desconocerá... Uno de sus mayores conflictos existenciales gira en torno a tomar las decisiones adecuadas. Como les agrada proyectar seguridad, suelen imprimir cautela a sus acciones... En el aspecto amoroso los nativos de este signo son tímidos; aunque paradójicamente se cataloguen entre los enamorados más apasionados y los mejores esposos del zodiaco, porque demuestran gran amor hacia el hogar y los niños... Son excelentes anfitriones, siempre dispuestos a complacer a su pareja; caminan por la vida rodeados de lujo, confort, jamás les falta la comida apetitosa, cuyo gusto les hace aumentar de peso, especialmente después de los 30 años... Los Tauro nacen con la tendencia a dejarse guiar por sus cinco sentidos... Por otra parte, les agrada la convivencia con personas elegantes y de finos modales... Otra de sus características es la franqueza, lo cual suele atraerles grandes problemas; los ofendidos les persiguen sin tregua porque desean acabarlos, pero los taureanos se defienden de igual forma que son atacados y pese a las dificultades salen adelante... Cuando nace mal aspectado, es rencoroso, agresivo e indolente, además de ser mentiroso... Lo peor del caso es que debido a lo ya expuesto, pierden la confianza en la gente... Deben vigilar no caer en la tacañería ya que, por amar en demasía las posesiones, olvidan lo esencial de la vida...

Personajes del signo

Alberto Vázquez, quien siempre se preocupa por no aumentar de peso... Shirley MacLaine, mística y refinada y el desaparecido Salvador Dalí, cuya creatividad artística resulta indiscutible...

LA MUJER DE TAURO

Las mujeres de Tauro son excelentes administradoras del patrimonio familiar... A ella le agrada el orden dentro del hogar el cual procura mantener impecable. Le agradan los sitios cómodos... Es ahorrativa, pero debido a su inclinación hacia el lujo, cuando menos lo imagina adquiere objetos de gran valor económico y desajusta su presupuesto... Las nativas de este signo no están reconocidas como las bellas del zodiaco. Ahí está Barbra Streisand. Tampoco se les considera las más inteligentes, sin embargo, ejercen gran magnetismo hacia el sexo opuesto, motivo por el cual triunfan sobre "rivales" de mayor belleza o recursos, quizá porque a los hombres les atrae la sencillez y el buen carácter de ellas, lo que les ayuda a destacar socialmente y aunque no se consideren entre las mujeres "interesadas", generalmente contraen nupcias con alguien cuyo nivel socio económico sea superior... Es madre ejemplar y como profesionista se convierte en la parte indispensable en la oficina... Pero tampoco dude que algún día, al regresar usted a casa, encuentre a la taureana cultivando flores o tal vez regando una planta, a ella le fascina la jardinería y el campo donde encuentra la paz espiritual... Si usted no puede cumplirle sus caprichos –costosos, por cierto– despreocúpese, ella encontrará la mejor forma de ganar dinero... Cuando esta mal aspectada es dominante; de carácter fuerte y demasiado testaruda...

Mujeres nacidas bajo este signo
Ella Fitzgerald, Barbra Streisand, Golda Meier, Shirley Temple, Thelma Tixou, Lupe Mejía "La Yaqui", Magda Guzmán, Gabriela Sabatini, María Luisa "China Mendoza" y Flor Procuna...

EL HOMBRE DE TAURO

Antes de cumplir los 30 años suele involucrarse en aventuras de cualquier índole, pero después comienza a madurar, establece su negocio –claro que es posible– y desde luego, procura adquirir una casa... el taureano se deja atrapar fácilmente, por la comodidad y el lujo y en verdad los necesita para estabilizarse emocionalmente... En general es muy espléndido, porque desea compartir el producto de su esfuerzo con quienes le rodean, trátese de amistades o familiares... En lo sentimental cuando encuentra a la mujer de su vida se convierte en un magnífico padre y fiel esposo... Su mayor defecto son los celos; éstos obedecen a su desmedido afán de posesión hacia la mujer amada. Generalmente se unen a una dama. Sí, una dama, en el estricto sentido de la palabra, cuyas cualidades sean, entre otras, las de poseer sencillez, elegancia, pero sobre todo que sean magníficas cocineras. Rechazan instintivamente a la mujer contradictoria, sofisticada y carente de sentido humorístico, pero muchas veces contraen matrimonio por el simple hecho de no quedarse solos. Cuando decide formalizar un compromiso es porque ya tiene la casa o departamento ideal para compartirlo con su compañera... Como amante es apasionado, romántico y detallista, pero procure no sacarle de sus casillas o conocerá a un hombre iracundo capaz de destruir cuanto esté a su alrededor... Cuando nace mal aspectado se convierte en una persona amargada y en consecuencia de pésimo carácter y muy oportunista...

Personajes del signo
Gary Cooper, Sigmund Freud, Paul Hewson Bono, cantante y líder de U2, Ray Charles, Joe Cocker, Sammy Davis, Engelbert Humperdinck, Liberace, Billy Joel, Neil Sedaka, Raúl Velasco, Charly Valentino y el siempre admirado Carlos Monsivaís...

Signo
Femenino, fijo y el primero de tierra.

¿SE CONSIDERA UNA TIPICA NATIVA DE TAURO?

Responda con sinceridad el siguiente cuestionario. Cada respuesta afirmativa equivale a cinco puntos; las negativas valen un punto y algunas veces: cero puntos.

1) ¿Disfruta plenamente de su hogar?

SI NO ALGUNAS VECES

2) ¿Le gusta administrar el gasto familiar?

SI NO ALGUNAS VECES

3) ¿Se cataloga como una excelente anfitriona?

SI NO ALGUNAS VECES

4) ¿Le agrada preparar la comida?

SI NO ALGUNAS VECES

5) ¿Se considera sociable?

SI NO ALGUNAS VECES

6) ¿Se considera una mujer atractiva?

SI NO ALGUNAS VECES

7) ¿Le agrada relacionarse con hombres de un nivel económico superior al suyo?

SI NO ALGUNAS VECES

De 20 a 35 puntos: consíderese la típica nativa de Tauro; hogareña y amable...

De 0 a 19 puntos: posee algunas características propias del signo, pero no le rige totalmente... Busque el cuestionario que pertenezca al ascendente y resuélvalo...

¿SE CONSIDERA EL TIPICO NATIVO DE TAURO?

Responda con sinceridad el siguiente cuestionario. Cada respuesta afirmativa equivale a cinco puntos; las negativas valen un punto y algunas veces: cero puntos.

1) ¿Le preocupa la seguridad financiera?

SI NO ALGUNAS VECES

2) ¿Tiene buen carácter, pero cuando pierde los estribos se desconoce?

SI NO ALGUNAS VECES

3) ¿Podría considerarse como un verdadero sibarita?

SI NO ALGUNAS VECES

4) ¿Le atrae la mujer elegante?

SI NO ALGUNAS VECES

5) ¿Sexualmente se considera apasionado?

SI NO ALGUNAS VECES

6) ¿Le gustan los niños?

SI NO ALGUNAS VECES

7) ¿Tiende a aumentar de peso?

SI NO ALGUNAS VECES

De 20 a 35 puntos: usted es el típico nativo de Tauro, hogareño, de buen carácter, mientras quienes le rodean no se aprovechen de su buena fe...

De 0 a 19 puntos: tiene algunas características propias del signo, pero no le rige en su totalidad... Busque el cuestionario que pertenezca al ascendente y resuélvalo...

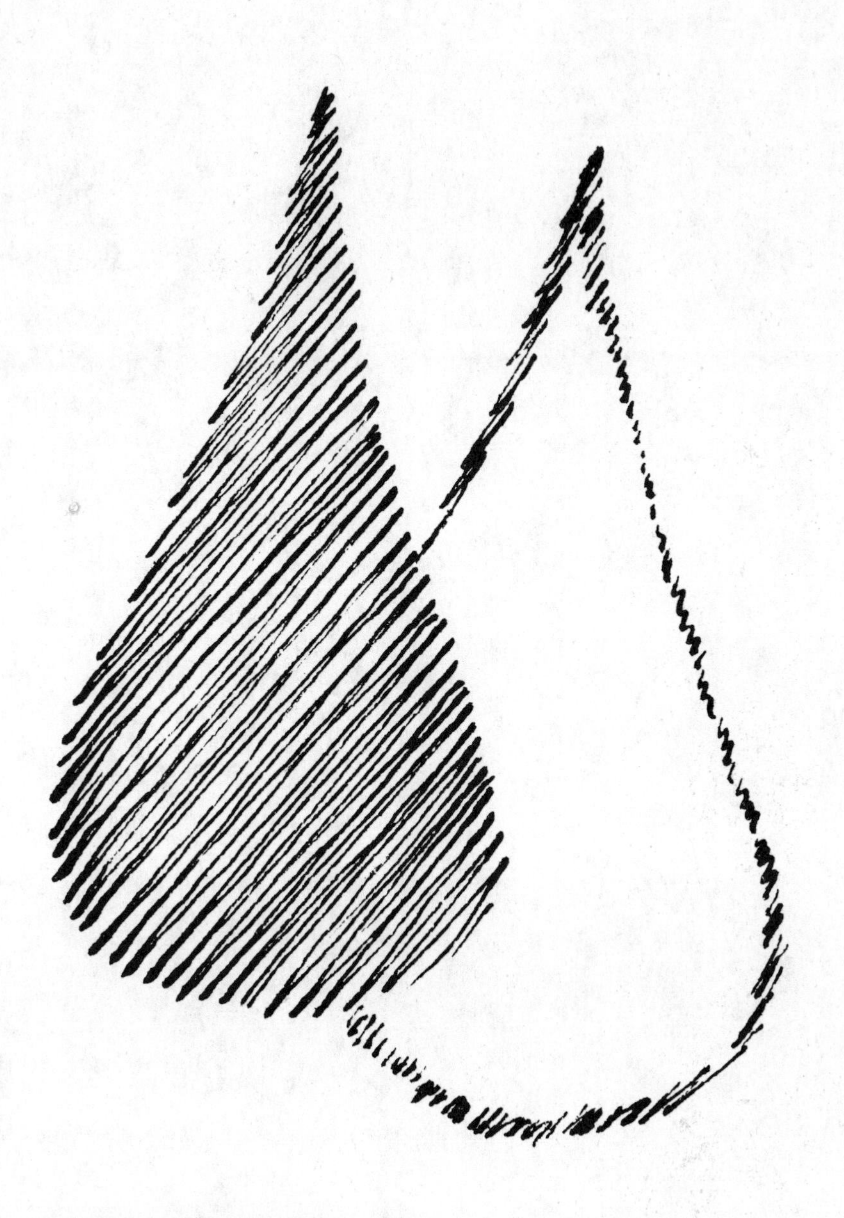

Ramón Gallardo M.

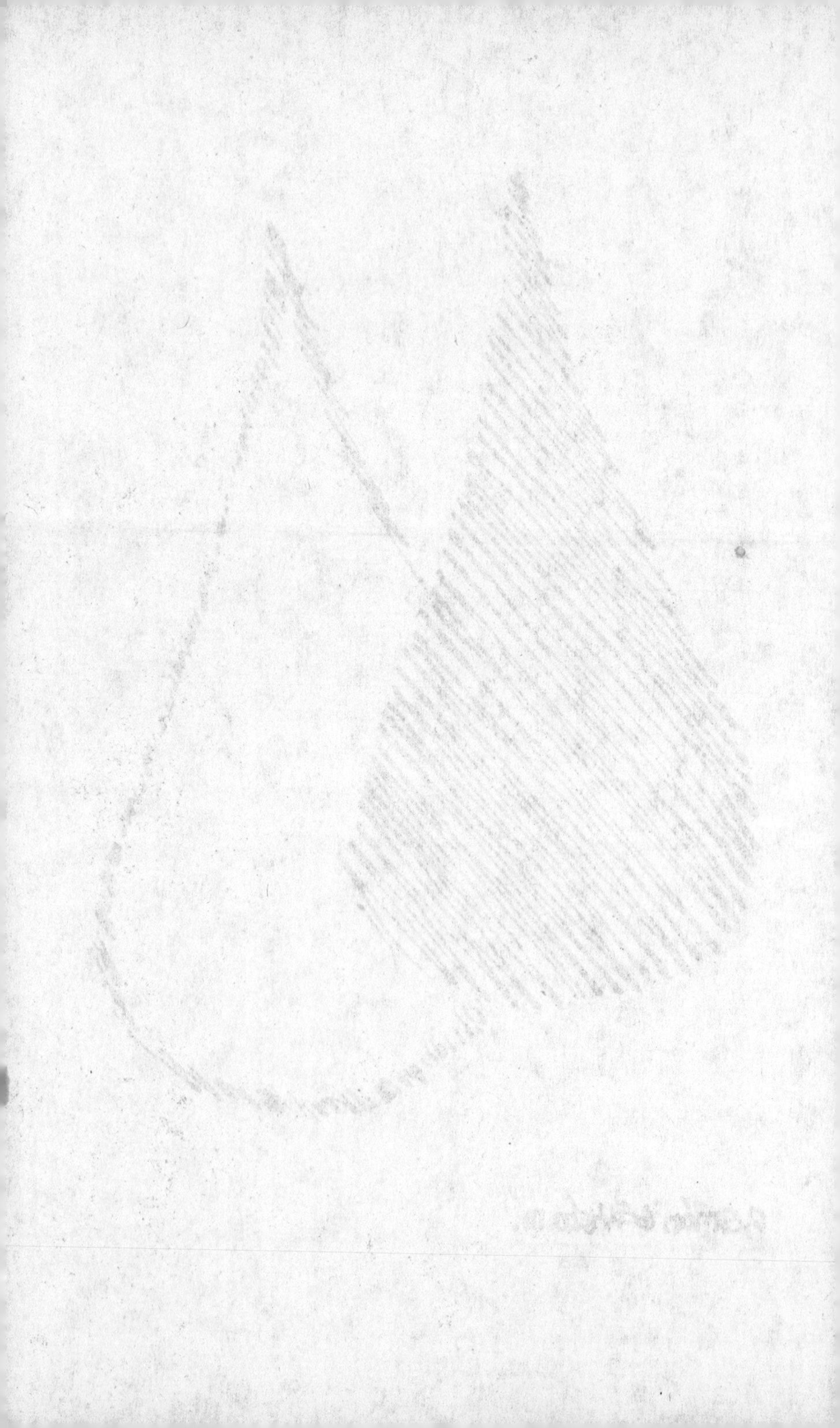

G E M I N I S

21 DE MAYO AL 20 DE JUNIO

El símbolo astrológico de Géminis representa la unión entre la razón y la intuición y, por consiguiente, el estado más elevado de la humanidad encarnada actualmente... Su característica principal es la inteligencia...

De acuerdo con la mitología griega el símbolo representa a los gemelos: Cástor y Pólux...

— *Ahora regreso voy a comprar una cajetilla de cigarros...*
Veinte años después...

— *Aquí estoy ¿Cómo están, todos?*

GEMINIS

CARACTERISTICAS GENERALES DE GEMINIS

EL SIGNO DE LOS INVENTORES Y DE LOS ARTISTAS...

Símbolo representado por dos gemelos: Cástor y Pólux quienes de acuerdo con la mitología griega fueron grandes guerreros, hijos de Leda; pero tuvieron distinto padre, el primero fue hijo de Tindareo y el segundo de Zeus; uno era mortal y el otro semidiós... Un día acudieron a una batalla en la que perdió la vida Cástor, pero el padre de Pólux, Zeus le confirió la inmortalidad. Por ello, uno de los gemelos visitaba con frecuencia el mundo de los vivos y el otro el de los muertos; después optaron por aumentar sus experiencias y la curiosidad les llevó a conocer ambos mundos... La dualidad de estos personajes ilustra magistralmente la personalidad geminiana... Un gemelo es tranquilo y el otro agresivo, de ahí que estos nativos sean calificados de inestables o volubles... Ellos desean jugar, estudiar, viajar, y quedarse en casa; todo al mismo tiempo... Poseen instintos contradictorios debidos a su aguda indecisión la cual nace, sin duda alguna, de su característico nerviosismo... En el aspecto sentimental oscilan desde el mayor interés hasta la total y frígida indiferencia... ¿Alguna vez conoció a una persona interesadísima en usted que sin mayores explicaciones dejó repentinamente de buscarle, para después, de tres o cuatro meses reaparezca y le hable como si el tiempo no hubiese pasado? Sin temor a equivocarnos usted trata con un típico geminiano... Los nacidos bajo el signo requieren justificar cuanto les rodea y en su búsqueda se olvidan por completo de su objetivo inicial... Dotados de un intelecto fuera de serie, son fanáticos de las explicaciones, pero éstas deben ser lógicas... Poseen carácter ingenioso, tienen gran facilidad de palabra... Inclinados hacia los viajes y el estudio, poseen memoria fotográfica... Como Géminis rige las manos, constantemente demuestran su habilidad manual y creativa. Incluso tienen facilidad para ejecutar instrumentos... Debido a su gran sociabilidad gozan de la estimación general... Y, bueno, ellos pasan gran parte de su existencia luchando por alcanzar sus ideales, pero siempre se interpone entre sus metas la falta de concentración, barrera que deben vencer para triunfar en forma total; la verdad, llegan a perderse en un mar de creatividad... Mercurio, su planeta regente, les confiere, grandes éxitos financieros; pero algunas veces derrochan el dinero... Rebelde por naturaleza, detesta las tradiciones y huye de quienes pretendan "robarle su libertad", cuya defensa apasionada no se hace esperar... En caso de emergencia o desastre un geminiano es bastante confiable debido a su agilidad de pensamiento y facilidad para resolver cualquier problema... También es justo advertir que son muy felices al gozar de una posición económica sólida, pero les desagrada gastar su dinero, no así el de sus amistades... Cuando están mal aspectados tienen grandes problemas porque fantasean demasiado, alardean con su imaginación y tienen marcada tendencia a viciarse sexualmente, como el Marqués de Sade. Son aficionados a los juegos de azar, apostándolo todo sin remordimiento alguno...

LA MUJER DE GEMINIS

Ellas son las más versátiles del zodiaco... Poseedoras de una belleza especial, tienen rasgos finos, por lo que resultan muy atractivas ¿Dudaría de tal descripción si recuerda a la bella geminiana Marilyn Monroe?... Preocupadas por su aspecto, las nativas de este signo, buscan con frecuencia cambios de imagen. Ello obedece, principalmente, a que no desean verse siempre de la misma forma. Les aburre lo rutinario, aun en su propio físico... En realidad la geminiana concentra dentro de sí muchas mujeres a la vez: la intelectual, la deportista y la ejecutiva. Le agrada estar bien informada de cuanto le rodea... Así mismo, evitan realizar tareas domésticas por considerarlas poco atractivas... Disfrutan de una intensa vida social, a través de la cual se retroalimentan... Al contraer matrimonio profesan fidelidad a su compañero pero antes de comprometerse viven romances platónicos con diferentes hombres... Las geminianas buscan el constante reto y son afectas a contrariar a las personas del sexo opuesto, éste fue uno de los grandes problemas de Marilyn Monroe con sus maridos... Si desea conquistarla le sugerimos infundirle una gran estabilidad emocional, porque si siente inseguridad le responderá con agresividad... Cuando están mal aspectadas toman la vida como un juego, son iracundas y demasiado volubles...

Algunas personalidades de Géminis

Judy Garland, Joan Collins, Brook Shields, Victoria Ruffo, Sasha, Martha Roth, Rebeca Jones, Paulina Rubio, Lolita Ayala y Socorro Bonilla.

EL HOMBRE DE GEMINIS

Durante los años juveniles el geminiano, suele comportarse como un ser enamorado del amor, pero después se convierte en un fiel esposo... Claro, lo difícil para él es encontrar a la compañera ideal que sepa comprender su constante cambio de personalidad y por lógica su forma de pensar; al mismo tiempo tierna y agresiva... Le agradan las mujeres que le estimulen en todos los aspectos... Cuando no está seguro de gustarle a una mujer no se atreve a confesarle sus verdaderos sentimientos... A él, a diferencia de la mujer de su mismo signo, le atraen las tareas domésticas y las intelectuales... Respecto a los negocios tiene gran éxito porque Mercurio su planeta regente le ayuda a ganar mucho dinero... Cuando está triste busca apoyo entre sus amistades, no soporta sufrir en silencio... Verdadero fanático de su libertad, en aras de obtenerla pueden sacrificarlo todo; llámese trabajo; familia o amor... Poseedores de un físico atractivo tienen gran éxito con las mujeres, ahí está Andrés García o el guapísimo Clint Eastwood... Debido a su talento creativo y artístico pueden alcanzar metas insospechadas. ¡Ah! si desea conquistarle evite interrogarle acerca de sus relaciones anteriores ya que, en el inconsciente, hará comparaciones y ello resultaría contraproducente para usted... Su mujer ideal debe ser tierna y fuerte para imprimirle la seguridad necesaria en su relación, como se comporta Linda con su marido Paul MacCartney el celebérrimo personaje que sigue "atado" a ella... Cuando está mal aspectado un Géminis es: fantasioso, voluble, hipócrita y desconoce la palabra amistad, solo la utiliza para beneficiarse ya sea económica o socialmente...

Personajes del signo

John Dillinger ganster de Chicago, Bob Dylan, El filósofo; Walt Whitman, Tom Jones, Jorge Rivero, Guillermo Murray, Víctor Junco, Facundo Cabral y el Vampiro Canadience...

Signo

Masculino, mutable y el primero de aire.

¿SE CONSIDERA UNA TIPICA NATIVA DE GEMINIS?

Responda con sinceridad el siguiente cuestionario. Cada respuesta afirmativa equivale a cinco puntos; las negativas valen un punto y algunas veces: cero puntos.

1) ¿A menudo elogian su belleza?

SI NO ALGUNAS VECES

2) ¿Con frecuencia le gusta cambiar su imagen?

SI NO ALGUNAS VECES

3) ¿Le disgusta realizar tareas domésticas?

SI NO ALGUNAS VECES

4) ¿Sin desearlo, ¿hiere con sus observaciones a las personas?

SI NO ALGUNAS VECES

5) ¿Riñe a menudo con los hombres?

SI NO ALGUNAS VECES

6) ¿Los hombres de carácter débil le parecen insulsos?

SI NO ALGUNAS VECES

7) ¿Le agrada acudir a fiestas y viajar muy a menudo?

SI NO ALGUNAS VECES

De 20 a 35 puntos: usted es la típica nativa de Géminis... Sociable, bella e inteligente...

De 0 a 19 puntos: posee algunas características propias del signo, pero no le rige en su totalidad... Busque el cuestionario que pertenezca al ascendente y resuélvalo...

¿ES USTED EL TIPICO NATIVO DE GEMINIS?

Responda con sinceridad el siguiente cuestionario. Cada respuesta afirmativa equivale a cinco puntos; las negativas valen un punto y algunas veces: cero puntos...

1) ¿Le parece difícil tomar alguna determinación?

SI NO ALGUNAS VECES

2) ¿Es nervioso?

SI NO ALGUNAS VECES

3) ¿Le disgusta sentirse presionado?

SI NO ALGUNAS VECES

4) ¿Olvida con facilidad las agresiones?

SI NO ALGUNAS VECES

5) ¿Tiene memoria fotográfica?

SI NO ALGUNAS VECES

6) ¿Comparte su tristeza y alegría con sus familiares y amigos?

SI NO ALGUNAS VECES

7) ¿Obtiene dinero fácilmente?

SI NO ALGUNAS VECES

De 20 a 35 puntos: usted es el típico geminiano, sociable y creativo...

De 0 a 19 puntos: posee algunas características propias del signo, pero no le rige en su totalidad... Busque el cuestionario que pertenezca al ascendente y resúelvalo.

Ramón Gaytán M.

C A N C E R

21 DE JUNIO AL 22 DE JULIO

El símbolo astrológico de Cáncer está compuesto por dos soles, con una línea de fuerza que procede de cada uno de éstos, encaminados en direcciones opuestas... La línea del Este indica el movimiento del sol físico y la otra, aspectada al Occidente, enseña el camino por donde regresan las fuerzas espirituales cuando el sol termina su recorrido...

El signo del misterio, del ocultismo y del lado oscuro e invisible de la naturaleza humana...

— *"Mi Dios... La casa, el mar*
y un perro, me dan la felicidad
total"...

LOUIS ARMSTRONG

CARACTERISTICAS GENERALES DE CANCER

EL CANGREJO... EL SIGNO DE LA ENSEÑANZA Y DE LAS PROFESIAS...

Cáncer pertenece a la triplicidad del elemento agua. De acuerdo con la mitología griega, el cangrejo fue enemigo de Hércules. Representa sensibilidad. La luna, su planeta regente, imparte a los cancerianos el amor maternal, la fecundidad y les dota de hipersensibilidad. Se ha dicho que este es el signo destacadamente femenino del zodiaco y en apariencia el más complejo... Intuitivos por excelencia; el caparazón del animalito significa la coraza utilizada por los nativos del signo para envolver y, desde luego, esconder su timidez que obviamente se traduce en inseguridad total... Las extremidades del cangrejo irradian el amor maternal... En general aparentan ser fuertes como adultos; pero son tan débiles como los niños... Si lo duda, analice la personalidad de Silvester Stallone y encontrará a un típico canceriano, el invencible ''Rambo'', tiembla ante los escándalos y las críticas... La personalidad carismática de ellos se deriva, básicamente, de su encanto personal; son dulces, de apariencia atractiva y pulcra; conservándola de por vida... Justo es comentar que debido a su ternura logran cualquier objetivo, por estar dotados de imaginación y sensibilidad; de proponérselo podrían alcanzar notables éxitos en las letras o en cualquiera de las Bellas Artes... Estos nativos temen al ridículo. Disfrutan del lujo, la buena mesa; eluden las incomodidades físicas y mentales... Una de sus mayores preocupaciones es la de afianzar su estabilidad económica, por lo tanto se convierten en personas sumamente ahorrativas, pero deben cuidarse de no caer en la avaricia... Diplomáticos de nacimiento, conceden la razón a las personas, únicamente para evitar un posible conflicto, pero cuando necesitan defender sus intereses pueden ser violentos y no reparan en ofender, con sarcasmo a su interlocutor... Cuando están mal aspectados tienen carácter voluble y sufren depresiones continuas, originadas por la falta de realización profesional o amorosa... Tampoco le conceden importancia a las cosas materiales; viven un mundo irreal y mienten con frecuencia. Sueñan con triunfos inexistentes, son rencorosos e infantilmente caprichosos, esto ocurre sólo cuando están mal aspectados... En general son difíciles de comprender; porque no saben demostrar sus verdaderos sentimientos. Es más, detestan exhibirlos. En el amor son apasionados, posesivos y jamás olvidan a la persona a quien amaron por vez primera; aun cuando demuestren indiferencia hacia el pasado emotivo, en el fondo de su pensamiento la recuerdan con ternura...

LA MUJER DE CANCER

Ella es, la ejecutiva, por excelencia. Debido a su enorme sentido del orden y autodisciplina, debe controlar su carácter, especialmente cuando posea un puesto de escasa importancia... Dulce y apasionada en el amor le fascina recibir muestras de cariño, para estar segura de la sinceridad de un hombre, sobre todo de los pretendientes... Un tanto voluble, pues la luna llena influye en su carácter; varía de pensamiento y de amores; además requiere ser constante en todos los aspectos de su vida... Cuando establece una relación amorosa ya sea de matrimonio o de compromiso formal, es fiel, pero necesita un compañero capaz de mantener su interés... Como las nativas del cangrejo, son demasiado, aprensivas necesitan calmar sus nervios, a base de comida, por lo que se les aconseja vigilar su alimentación para evitarse el sobre peso... Cuando están mal aspectadas tienden a ser demasiado sentimentales, sensacionalistas; exageran sus emociones y puntos de vista, pero después analizan las situaciones; se arrepienten y causan la impresión de ser inestables... Además se convierten en mujeres agresivas e hipocondríacas, pero actuán de esa manera para esconder su enorme soledad; hacemos hincapie, que únicamente cuando nacen mal aspectadas...

Personalidades de Cáncer
Gina Lollobrígida, María Conchita Alonso, Olivia de Havilland, Vicky Carr, Rocío Banquells, Beatriz Sheridan, Bárbara Gil, Leticia Calderón, Rosita Quintana, Claudia Islas, Lucila Mariscal, Kippy Casado, Frida Khalo, Angélica Aragón, Sonia Rivas y la excelente periodista Gilda Baum...

EL HOMBRE DE CANCER

De personalidad contradictoria realmente es tímido, pero a la vez demuestra verdadera pasión hacia la mujer, cuyo comportamiento extraño las seduce física y emocionalmente... Tratáse de un hombre sensible; amante del hogar, de los niños, de los animales, sobre todo de la buena mesa... Un canceriano es un buen candidato para el matrimonio. Por lo regular, se casan jóvenes pero no se fíe; porque suele divorciarse, ya que no logra dar a su mujer cuanto desea. Rara vez solidifican su economía; comúnmente hacen fortuna después de los 30 años... Su inteligencia les ayuda a destacar en su profesión, pero debe aprender a vencer la timidez e inseguridad la cual muchas veces obstaculiza su realización... Amigo inigualable diferente a sus amistades por encima del parecer general... Le fascina tratar con mujeres inteligentes, femeninas de buen carácter y maternales... Cuando están mal aspectados son egoístas, fantasiosos, avaros y terminan sus días en la más absoluta soledad, porque se amargan sin remedio... Ringo Starr el famoso baterista, actor y director de cine nos ilustra claramente sus grandes dotes artísticos, característica de un nativo de cáncer.

Personajes del signo
Vittorio de Sica, Nelson Rockefeller, Louis Armstrong, Herman Hesse, Gualberto Castro, José Antonio Méndez, Benito Castro, Chucho Martínez Gil, Jorge Vargas, Ricardo Ceratto, Gregorio Casals, Eduardo ll, Ausencio Cruz, Alejandro Camacho, Abraham Zabludovsky, Johnny Laboriel, Hugo Sánchez, Julio César Chávez, y el inolvidable Luis G. Basurto.

Signo
Femenino, cardinal y el primero de agua.

¿SE CONSIDERA UNA TIPICA NATIVA DE CANCER?

Responda con sinceridad el siguiente cuestionario. Cada respuesta afirmativa equivale a cinco puntos; las negativas valen un punto y algunas veces: cero puntos...

1) ¿Le gustan los hombres caballerosos?

SI NO ALGUNAS VECES

2) ¿Es tímida?

SI NO ALGUNAS VECES

3) ¿Se considera inconstante?

SI NO ALGUNAS VECES

4) ¿Cuando está nerviosa come en exceso?

SI NO ALGUNAS VECES

5) ¿Huye de los hombres aburridos?

SI NO ALGUNAS VECES

6) ¿Se deprime fácilmente?

SI NO ALGUNAS VECES

7) ¿Prefiere trabajar con lentitud para evitar errores?

SI NO ALGUNAS VECES

De 20 a 35 puntos: usted es la típica canceriana... Femenina, tímida e inteligente.

De 0 a 19 puntos: tiene algunas características del signo, pero no le rige en su totalidad. Busque el cuestionario que corresponda al ascendente y resuélvalo...

¿SE CONSIDERA UN TIPICO NATIVO DE CANCER?

Responda con sinceridad el siguiente cuestionario. Cada respuesta afirmativa equivale a cinco puntos; las negativas valen un punto y algunas veces: cero puntos...

1) ¿Se considera tímido?

SI NO ALGUNAS VECES

2) ¿Es íntimamente apasionado?

SI NO ALGUNAS VECES

3) ¿Se considera posesivo?

SI NO ALGUNAS VECES

4) ¿Disfruta de la buena mesa?

SI NO ALGUNAS VECES

5) ¿Se aleja de las personas conflictivas?

SI NO ALGUNAS VECES

6) ¿Padece enfermedades bronquiales y gastrointestinales?

SI NO LGUNAS VECES

7) ¿Se considera hogareño?

SI NO ALGUNAS VECES

De 20 a 35 puntos: usted es el típico canceriano; educado, inteligente y de buenos sentimientos...

De 0 a 19 puntos: posee algunas características propias del signo, pero no le rige en su totalidad... Busque el cuestionario que pertenezca al ascendente y resuélvalo...

Ramón Beltrán M.

L E O

23 DE JULIO AL 22 DE AGOSTO

El símbolo astrológico de Leo está tomado de la cola del león... Su característica principal es el amor y la inteligencia...

> — *"El Universo está en cuatro paredes y... también ejerzo mi dominio fuera de ahí..."*
>
> MAE WEST

CARACTERISTICAS GENERALES DE LEO

EL LEON. . . EL SIMBOLO DE LOS REYES. . .

Es el rey del zodiaco, representado simbólicamente por un león, cuyo significado mitológico representa uno de los trabajos de Hércules, quien luchara contra el león de Nemea; de ahí nace el carácter temperamental de sus nativos; son fuertes, osados, leales y ejercen especial fascinación hacia el sexo opuesto... Generalmente son creativos y sienten especial atracción por el arte... Gustan de recibir personas en su hogar para demostrarles su afecto, por lo anterior, se catalogan entre los más destacados anfitriones del zodiaco. Cuando están mal aspectados desafían a todo el mundo, son ególatras y soberbios, por lo que se atraen muchas enemistades, porque hieren con sus palabras cargadas de ironía... Pero un Leo, bien aspectado es una persona inteligente, deseosa de compartir su conversación y conocimientos con sus amistades. Es popular, fiel, ama a los niños; posee una abundante cabellera, ¿quien podría negarlo después de observar a Slash, integrante de Guns N'Roses?... Le sugerimos vencer la pereza, hecho que impide su evolución y no es por juzgarlos, sucede que prefieren trabajar mentalmente... Su planeta regente, el sol, imparte la fuerza, valentía, independencia y así como Cáncer es maternal, Leo es el paternalista del zodiaco. En síntesis: ''El Rey'', cuyo dominio se extiende hacia los otros nativos... Los nativos de este signo, crecen entusiastas, ambiciosos de poder y llenos de fe en sí mismos... Poseedores de un gran talento para dirigir, son francos, leales; aman las responsabilidades y a través de sus innumerables cualidades alcanzan cuanto se proponen...

Desde muy pequeños adquieren conocimientos de los que, invariablemente se enorgullecen... Y otra cosa importante: les fascina ser el centro de atracción lo que les resulta fácil, porque tienen el poder de vislumbrar la verdad y de compenetrarse a fondo con todo tipo de conversaciones... Cuando se equivocan rectifican su error hábil y políticamente... Impulsivos natos, deben vigilar su corazón pues se irritan con facilidad. Cuando reciben una ofensa suelen ignorarla. Desconocen el rencor... El dinero les preocupa para obtener su independencia, pero no les interesa demasiado... Un Leo fracasado se convierte en una persona insoportable, la depresión le apresa más aún cuando les falta la abundancia económica... Debido a sus múltiples características se consideran personas útiles y capaces... Pero necesitan controlar su ímpetu. La exageración, la ira y el orgullo mal entendido; estén bien o mal aspectados...

LA MUJER DE LEO

Trátase de una mujer de carácter fuerte e incluso dominante, pero a la vez es muy sentimental, apasionada y romántica... Exige y ofrece lealtad. Como madre, procura dar a sus hijos la mejor educación porque desean verles destacar... Por lo general es de abundante y hermosa cabellera que agita constantemente en señal de aprobación o rechazo, por ejemplo: Talina Fernández; poseedora de una gran personalidad y simpatía. Inteligente natural, le agrada ser el centro de atracción, lo cual logra con facilidad... Dotadas generalmente de mirada enigmática y sonrisa coqueta, resultan atractivas para el sexo opuesto. Debido a su lealtad una Leo es incapaz de ser infiel, sobre todo al formalizar una relación sentimental... Desconocen los complejos, imponen modas, costumbres, siempre y cuando sean de buen gusto... Si desea importunarlas, solo compórtese con vulgaridad y huirá; usted debe saber que aman la perfección... Si están mal aspectadas tienen características totalmente opuestas a las mencionadas... Cuando buscan a un compañero, debe estar dispuesto a mostrarles su admiración y sobre todo, amor; lo necesitan para equilibrarse emocionalmente. Jamás intente restarles creatividad, pues desataría su furia. La relación sentimental con una Leo debe ser equitativa en derechos y obligaciones, pues aun cuando trabaje en una oficina, nunca desatenderá sus obligaciones, ya que necesita desahogar su energía...

Personalidades del signo

Dulce, Patricia Rivera, Leticia Perdigón, Jacqueline Andere, Mae West, Dolores del Río y la magnifica periodista Maxime Woodside. Quienes nos ilustran las características de estas estas nativas.

EL HOMBRE DE LEO

El hombre de Leo, posee recia personalidad; la manifiesta desde pequeño... Crece orgulloso y le parece algo imposible disculpar los errores, aun los propios, como Napoleón... Mucho se ha hablado de los desplantes y de los romances de Robert De Niro, típico león; pero también se le reconoce su talento artístico, si usted pertenece a este signo, encontrará una gran similitud con el comportamiento de él... Suelen conquistar a las mujeres, pero sus coqueteos son inocentes, muchas veces, los provocan sólo para satisfacer su vanidad... Al casarse, rara vez, anteponen una aventura a su matrimonio, más aún cuando encuentran a esa mujer que les estimula sexual y mentalmente... Cuando un Leo carece de estímulo se convierte en un verdadero ciclón... Aparenta no necesitar de apoyo. Quiere ser tan fuerte como Popeye, después de comer espinacas... Sin embargo exige reconocimiento a su ardua labor... Si están mal aspectados, son inmaduros; no concretan sus proyectos, son agresivos, dominantes y fatuos... Pero continuemos con los leones bien aspectados: sensibles natos, aman la belleza en todas sus facetas; inclusive les agrada rodearse de mujeres llamativas con el fin de satisfacer su ego... Románticos, rehuyen a la mujer fría... Inquietos, desean reformar cuanto tienen a su alcance, y no vacilan en sacrificarlo todo en aras de proyectar una buena imagen... Desconocen la escasez de trabajo, porque abren sus propios campos de acción; tienen la virtud de mejorar sus perspectivas económicas... No podemos visualizar a un león carente de lujos y de inteligencia...

Personajes del signo

Mussolini, Karl Jung, Mario Moreno ''Cantinflas'', Stanley Kubrick, Henry Fonda, Dustin Hoffman, Joaquín Cordero, Jorge Lavat, Manuel Capetillo Jr., el productor Valentín Pimstein.

Signo

Masculino, fijo y el segundo de fuego.

¿SE CONSIDERA UNA TIPICA NATIVA DE LEO?

Responda con sinceridad el siguiente cuestionario. Cada respuesta afirmativa equivale a cinco puntos; las negativas valen un punto y algunas veces: cero puntos.

1) ¿Le gustan los niños?

SI NO ALGUNAS VECES

2) ¿Está orgullosa de su cabellera?

SI NO ALGUNAS VECES

3) ¿Olvida con facilidad las agresiones?

SI NO ALGUNAS VECES

4) ¿Le gusta lucir atractiva para gustarse a usted misma?

SI NO ALGUNAS VECES

5) ¿Es romántica y apasionada?

SI NO ALGUNAS VECES

6) ¿Detesta la vulgaridad?

SI NO ALGUNAS VECES

7) ¿Rechaza el machismo?

SI NO ALGUNAS VECES

De 20 a 35 puntos: representa a la típica nativa de Leo; orgullosa de su imagen e inteligencia…

De 0 a 19 puntos: posee algunas características propias del signo, pero no le rige en su totalidad… Busque el cuestionario que pertenezca al ascendente y resuélvalo.

¿SE CONSIDERA UN TIPICO NATIVO DE LEO?

Responda con sinceridad el siguiente cuestionario. Cada respuesta afirmativa equivale a cinco puntos; las negativas valen un punto y algunas veces: cero puntos...

1) ¿Le agrada ser el centro de atracción?

SI NO ALGUNAS VECES

2) ¿Sus errores le parecen imperdonables?

SI NO ALGUNAS VECES

3) ¿Está orgulloso de su inteligencia?

SI NO ALGUNAS VECES

4) ¿Profesa verdadera admiración hacia la belleza y lo estético?

SI NO ALGUNAS VECES

5) ¿Se relaciona con mujeres atractivas?

SI NO ALGUNAS VECES

6) ¿Desconoce la palabra imposible?

SI NO ALGUNAS VECES

7) ¿Se considera un hombre inteligente?

SI NO ALGUNAS VECES

De 20 a 35 puntos: ¡felicidades! Considérese un típico nativo del signo. Inteligente, altivo y seguro de usted mismo, después de todo Leo es el rey del zodiaco...

De 0 a 9 puntos: posee algunas características propias del signo, pero no le rige en su totalidad... Busque el cuestionario que pertenezca al ascendente y resuélvalo...

Ramón Gaytán M.

V I R G O

23 DE AGOSTO A 22 DE SEPTIEMBRE

El símbolo astrológico de Virgo es un tanto parecido a la M, cruzada al final, siendo las principales virtudes de los nativos su poder analítico y la organización...

— Faltó un clip en tu colaboración y el recibo no quedó bien...

VIRGO

CARACTERISTICAS GENERALES DE VIRGO

LA VIRGEN...
EL SIGNO DEL ANALISIS

Este signo está representado por una virgen quien sostiene una espiga de trigo, alude a la Diosa de la mitología griega Ceres; simboliza la fecundidad de la cosecha y la aridez del verano... Ella, en actitud de escuchar, confiere a sus nativos el don de oír a sus semejantes... Debido a la capacidad de análisis de los Virgo resultan excelentes consejeros, pero cuando brindan su ayuda prefieren hacerlo con discreción sin hacer alarde alguno, su deseo de apoyar a la gente forma parte de su personalidad... Generalmente son tímidos, se incomodan con facilidad, porque carecen de confianza en sí mismos... La exactitud y obsesión por los detalles es un instinto muy arraigado en ellos. Son las personas más ordenadas del zodiaco y con facilidad transforman su crítica minuciosa en algo irritante para los demás... Los Virgo son nerviosos, poseen carácter fuerte, pero siempre tratan de ocultarlo... Otra de sus cualidades estriba en el amor que profesan a su trabajo, están capacitados para desempeñar cualquier tipo de actividad, siempre con asombrosa exactitud... Debido a su costumbre de analizarlo todo cuidadosamente, logran que las ramas de los árboles les impidan disfrutar del bosque y, por ello, pierden de vista su objetivo principal... Honestos y sinceros admiran a quien posea tales cualidades, pero antes de involucrarse analizan a sus futuras amistades, por lo que siempre se rodean de gente leal... Inclinados hacia el perfeccionismo en cuanto les concierne, son fanáticos de la limpieza, incluso la famosa astróloga Linda Goodman asegura: ‘‘Para conquistarles, lleve un par de jabones en las manos y será el mejor talismán para atraerlos''... Respecto a la salud, evitan las medicinas, prefieren las curas naturistas, pero rara vez padecen malestares físicos... Es importante observar como un Virgo resiste físicamente el paso del tiempo, retienen su aspecto juvenil por muchos años, usted sabe, llevan una vida saludable, vigorosa e intensa, ya sea social o laboral... Poseen marcada tendencia a automedicarse, hecho que les impide aliviarse rápidamente... Cuando sufren presiones nerviosas deben evitar la ingestión de carne, pues dañarían su organismo sin remedio... En el amor aparentan indiferencia. No tienen por costumbre prodigarse, bueno discúlpelos, recordemos su timidez. En ocasiones parecen agresivos al demostrar su cariño... Cuando están mal aspectados: se convierten en personas severas, censuran a sus semejantes sin compasión alguna y poseen criterio estrecho. Odian a los animales domésticos y se encierran en su propio mundo... En cualquier situación les gusta disfrutar de la buena mesa; Mercurio su planeta regente les ayuda a triunfar en los negocios y en la profesión elegida por ellos...

LA MUJER DE VIRGO

La seguridad financiera constituye una de sus mayores preocupaciones, sobre todo en el matrimonio... Le preocupa el orden dentro de su hogar y le fascina vestir y perfumarse, usted sabe debe reinar la limpieza en todo su esplendor... Estas nativas son racionalmente analíticas; es muy difícil que se dejen llevar por la pasión. Sin embargo, cuando aman, son capaces de sacrificarse al máximo con tal de sostener una relación o de cuidar a su familia... Las nativas de Virgo son elegantes, pulcras y atractivas, cualidades propias de ellas... Gozan de popularidad entre los caballeros, pero no le conceden importancia, ya que pueden aparentar frialdad en lo concerniente al aspecto sentimental... Debido a su orden e inteligencia escalan puestos ejecutivos, pero deben evitar problemas con los subordinados, los cuales resolverán con una agradable sonrisa, de cualquier forma se les aconseja ser menos exigentes tanto en el trabajo como en el amor o se quedarán solas... Cuando están mal aspectadas les disgusta el ejercicio, se amargan, descuidan su hogar y tienen carácter agresivo, pero cuidado, además son incapaces de ser leales...

Personajes del signo
Raquel Welch, Sofía Loren, Daniela Romo, y la también admirada actriz e imitadora: Carmen Salinas...

EL HOMBRE DE VIRGO

Trabajadores incansables, siempre están a la expectativa de cuanto les rodee, trátese de su vida personal o de cualquier actividad. Asimismo, dedican algunos minutos de su tiempo –a veces horas– a realizar alguna rutina deportiva, pues les preocupa verse en forma. Claro, les parece difícil puesto que sienten gran placer de saborear un buen platillo, cargado de calorías... Dedican mucho tiempo al trabajo, incluso sacrifican su sueño para cumplir con sus deberes... Ellos prefieren los transportes terrestres, ya que están más de acuerdo con su personalidad... El hombre de Virgo se destaca por su marcado interés hacia la búsqueda de la perfección, suelen ser los más puntuales del zodiaco, para ellos es vital cumplir adecuadamente con sus compromisos tanto familiares como de trabajo. Deben hacer lo imposible por vencer su timidez de lo contrario podrían convertirse en personas conformistas... Preocupados de la familia, buscan la forma de satisfacer todas sus necesidades, pero no saben como demostrar su cariño, y dan la impresión de ser fríos... Poseen un magnífico sentido del humor el cual aunado a su inteligencia, capacidad analítica y amabilidad le atrae el cariño de las personas, especialmente de las mujeres, pero jamás proclaman sus conquistas y menos aún cuando se casan... Debido a la influencia mercurial pueden amasar grandes fortunas, pero la destinan a brindar ayuda a su familia, rara vez un nativo del signo olvida sus obligaciones familiares... Aprensivos natos, les parece difícil relajarse y disfrutar con tranquilidad de sus reuniones sociales, además les incomoda la multitud y aun cuando intenten adaptarse, su timidez sale a flote y optan por alejarse... Cuando están mal aspectados son desleales, desordenados y prejuiciosos...

Personajes del signo
Leonard Bernstein, Debussy, Humberto Zurita, Raymundo Capetillo, Don Carlos Amador, el juez Chema Lozano, Fernando Ciangherotti y el escritor Alfredo Gudini…

Signo
Femenino, mutable y de tierra…

¿SE CONSIDERA UNA TIPICA NATIVA DE VIRGO?

Responda con sinceridad el siguiente cuestionario. Cada respuesta afirmativa equivale a cinco puntos; las negativas valen un punto y algunas veces: cero puntos...

1) ¿Le concede importancia a la seguridad financiera?

SI NO ALGUNAS VECES

2) ¿Le agrada vestirse impecablemente?

SI NO ALGUNAS VECES

3) ¿El desorden le saca de quicio?

SI NO ALGUNAS VECES

4) ¿Es fanática de la limpieza?

SI NO ALGUNAS VECES

5) ¿Alguna vez le han acusado de ser calculadora?

SI NO ALGUNAS VECES

6) ¿Cuando la critican procura disimular su enojo?

SI NO ALGUNAS VECES

7) ¿Se considera muy exigente en el amor?

SI NO ALGUNAS VECES

De 20 a 35 puntos: usted es la típica nativa de Virgo; ordenada y femenina...

De 0 a 19 puntos: posee algunas características propias del signo, pero no le rige en su totalidad... Busque el cuestionario que pertenezca al ascendente y resuélvalo...

¿SE CONSIDERA UN TIPICO NATIVO DE VIRGO?

Responda con sinceridad el siguiente cuestionario. Cada respuesta afirmativa equivale a cinco puntos; las negativas valen un punto y algunas veces: cero puntos...

1) ¿Hace ejercicio para mantenerse en forma?

SI NO ALGUNAS VECES

2) ¿Le agradan los viajes terrestres?

SI NO ALGUNAS VECES

3) ¿Se considera analítico?

SI NO ALGUNAS VECES

4) ¿Cuando no tiene actividad alguna se deprime?

SI NO ALGUNAS VECES

5) ¿Procura el bienestar familiar?

SI NO ALGUNAS VECES

6) ¿Rechaza a las personas informales?

SI NO ALGUNAS VECES

7) ¿Se considera tímido?

SI NO ALGUNAS VECES

De 20 a 35 puntos: usted es el típico nativo de Virgo; tímido, ordenado e inteligente...

De 0 a 19 puntos: posee algunas características propias del signo, pero no le rigen en su totalidad... Busque el cuestionario que pertenezca al ascendente y resuélvalo...

Ramón Gaytán M.

L I B R A

23 DE SEPTIEMBRE AL 22 DE OCTUBRE

El signo astrológico de Libra indica un espíritu ecuánime, aunque sus manifestaciones no lo parezcan... Las virtudes principales de los nativos son: la intuición y su amor hacia la belleza...

— *¿Por qué no le ves a la cara?*

— *No puedo, está muy feo...*

LIBRA

CARACTERISTICAS GENERALES DE LIBRA

"LA BALANZA" EL SIGNO DE LA ECUANIMIDAD

Libra, pertenece al segundo signo de la triplicidad de aire; el primero es Géminis... Regido por Venus; imparte amor hacia lo estético y la belleza, dotados de una gran emotividad lo que les hace muy espirituales... En ellos destaca la originalidad, pero carecen de sentido práctico... El símbolo es una balanza; representa la justicia, implica variabilidad y caprichos, justificados por la búsqueda del equilibrio, pero bajo su apariencia ecuánime difícilmente pueden centrar sus pensamientos... Estos nativos causan la impresión de no colocar los pies sobre la tierra, incluso para elegir su habitación prefieren un sitio en lo alto de un edificio, tal parece que jamás sacian la vista de panorama... Su amor nato hacia la belleza física les convierte en personas exigentes capaces de detectar el más mínimo cambio en quienes trata... Su espiritualidad innata les capacita para destacar en: filosofía, letras, música y el arte en general... Un Libra, rechaza instintivamente las discusiones, aun cuando muchas veces las ocasionen; un motivo de disgusto puede ser su continua exigencia; aman la perfección. Prefieren callar antes de mentir y esto les atrae un sinnúmero de problemas... Libra, intuitivo, es el primero en detectar cualquier vibración de antipatía hacia él; extraordinario psíquico... En cierta ocasión un amigo le dijo a una chica: "No odies tanto a ese hombre, porque te casarás con él". Todos reímos. Sabíamos del antagonismo existente entre ambos... Pasaron dos años y un día la chica llamó por teléfono para invitarnos a su boda... Cuando leí la participación, casi me desmayo, usted ya se imaginará al final de esta pequeña anécdota, bueno, pues quien la sentenció pertenece a este signo... Prosigamos: otra de sus cualidades es la de contagiar su optimismo a sus familiares y amistades, aparentan ignorar el infortunio... Tampoco les interesa el aspecto económico, carece de importancia para ellos, aunque en la edad madura le conceden mayor importancia... A semejanza del elemento aire –su regente– algunas veces muestran variabilidad en su forma de actuar... Amigos leales, cuando entregan su amistad la confieren para siempre, sólo que constantemente buscan y desean ampliar su círculo social, por lo tanto les resulta difícil conservar a sus amistades por largos periodos...

La agilidad mental en Libra se encuentra hermanada con su buena memoria. Tienen elevados propósitos; unidos a sus acciones. Disfrutan su mundo interior; trabajan con la mente y ello les hace parecer, digamos perezosos en cuanto al trabajo físico se refiere, pero es mentira; sucede que siempre están en la búsqueda de nuevas ideas... Por otro lado, su nerviosismo les ayuda a evadir lo rutinario y su aprensión puede ocasionarles enfermedades sicosomáticas; pero categóricamente, le temen al dolor físico... De carácter amable, algunas veces se enfadan por nimiedades, cuando esto ocurra no les conceda importancia; déjelos tranquilos, porque si discute con ellos pueden convertirse en un verdadero ciclón... Cuando un Libra hace un favor jamás espera recompensa... Su creatividad artística es asombrosa, por ejemplo: Neil Diamond, el sensible canta-autor, pertenece a este bello signo, ¿Verdad qué vale la pena conocerles?

LA MUJER DE LIBRA

Aun cuando el signo esté representado por una balanza que simboliza la justicia, ello no significa que las nativas sean totalmente equilibradas y justas, aunque casi siempre lo son... En ocasiones causan la impresión de ser obsesivas, atribuible a su ansiedad por alcanzar un equilibrio emocional y durante su búsqueda pueden acarrearse transtornos nerviosos... La balanza indica realmente su deseo de poseer todos los dones de la naturaleza... Ellas requieren de una gran armonía ambiental, porque la más leve perturbación les afecta e impide desarrollarse convenientemente. Incluso sus estados de ánimo dependen mucho de las circunstancias que les rodean... Aun cuando sean dulces y comprensivas, tienen carácter determinante que les permite luchar a brazo partido en pos de sus ideales, pero su mayor problema consiste en encontrarse a sí mismas para disfrutar del verdadero equilibrio... Debido a su gran sentido artístico y sensibilidad, destacan en actividades relacionadas con el arte, incluso en la decoración de interiores... Elegantes natas, no son tan bellas como las geminianas, sin embargo ejercen fuerte atractivo sobre los hombres... Poseen gusto "exquisito" y natural refinamiento. Preocupadas por tener su hogar bien decorado, lo mantienen en armonía y desean una cierta estabilidad económica para resolver holgadamente, los problemas domésticos... A pesar de su idealismo e inclinación hacia lo espiritual ellas son apasionadísimas. Cuando se enamoran son fieles, pero tampoco andan a la búsqueda de una pareja...

Personalidades del signo
Briggitte Bardot, Verónica Castro, Alma Muriel, Angélica María, Debora Kerr y Julie Andrews.

EL HOMBRE DE LIBRA

Elegante natural se identifica plenamente con la mujer de costumbres similares, pero con sinceridad, no le resulta tan difícil involucrarse con ellas, leyó usted bien... Causan la impresión de ser callados, tímidos, corteses; detalles que provocan la admiración femenina... Durante su juventud, viven tórridos idilios y aun cuando no les lleven a ninguna parte lo arriesgan todo, sin esperar nada a cambio, sólo por el placer de sentirse conquistadores, debido a su discreción no pregonan sus aventuras y lamentablemente eligen a la mujer equivocada... El hombre de Libra indeciso en el amor es prácticamente inconquistable, ya que suele vivir de ilusiones e idealiza a las mujeres tanto para quererlas como para dejarlas... Y, ejemplificamos con lo anterior porque se comporta de igual manera en todos los aspectos de la vida: llámese trabajo, negocios y amistades... Debido a su intensa actividad social, conocen personas de todos los medios, les disgusta limitarse a un solo círculo... Cuando tiene el estímulo femenino escala puestos de gran importancia, de lo contrario puede acomplejarse... Cuando están mal aspectados; son fantasiosos, egoístas y poseen humor negro el cual utilizan para atacar a todas las personas... Pero continuemos con la descripción de los hombres bien aspectados, una de sus mayores ilusiones es la de viajar y alimentarse de conocimientos generales, para después transmitirlos. Recordemos, son sociables, creativos y artísticos.

Personajes del signo
Charlton Heston, Marcelo Mastroiani, Julio Iglesias, Michael Jackson, Luciano Pavarotti, Oscar Wilde y John Lennon...

Signo
Masculino, cardinal y de aire.

¿SE CONSIDERA UNA TIPICA NATIVA DE LIBRA?

Responda con sinceridad el siguiente cuestionario. Cada respuesta afirmativa equivale a cinco puntos; las negativas valen un punto y algunas veces: cero puntos...

1) ¿Se considera feminista?

SI NO ALGUNAS VECES

2) ¿Le resulta difícil vivir sin amor?

SI NO ALGUNAS VECES

3) ¿Admira a las personas educadas?

SI NO ALGUNAS VECES

4) ¿Es atractiva para el sexo opuesto?

SI NO ALGUNAS VECES

5) ¿Requiere de ambientes armoniosos para sentirse bien?

SI NO ALGUNAS VECES

6) ¿Le preocupa el bienestar familiar?

SI NO ALGUNAS VECES

7) ¿Predice el futuro de quienes le rodean?

SI NO ALGUNAS VECES

De 20 a 35 puntos: usted es la típica nativa de Libra, femenina y protectora...

De 0 a 19 puntos: posee algunas características propias del signo, pero no le rige en su totalidad... Busque el cuestionario que pertenezca al ascendente y resuélvalo...

¿SE CONSIDERA UN TIPICO NATIVO DE LIBRA?

Responda con sinceridad el siguiente cuestionario. Cada respuesta afirmativa equivale a cinco puntos; las negativas valen un punto y algunas veces: cero puntos...

1) ¿Siente atracción hacia las mujeres elegantes?

SI NO ALGUNAS VECES

2) ¿Rechaza la injusticia?

SI NO ALGUNAS VECES

3) ¿El arte le atrae poderosamente?

SI NO ALGUNAS VECES

4) ¿Se enamora y deja de amar con facilidad?

SI NO ALGUNAS VECES

5) ¿Le parece difícil tomar alguna determinación?

SI NO ALGUNAS VECES

6) ¿Le gusta viajar muy a menudo?

SI NO ALGUNAS VECES

7) ¿Frecuenta a personas de diferentes medios sociales?

SI NO ALGUNAS VECES

De 20 a 35 puntos: usted es el típico nativo de Libra, refinado amante del arte y sociable...

De 0 a 19 puntos: posee algunas características propias del signo, pero no le rige en su totalidad... Busque el cuestionario que pertenezca al ascendente y resuélvalo.

Ramón Gaytán M.

ESCORPION

23 DE OCTUBRE AL 22 DE NOVIEMBRE

Escorpión es un signo misterioso, relacionado con las cosas del más allá, su principal atributo es la generación y la regeneración...

El símbolo una M, cuyo final comprende la lanceta del Escorpión, representa la agudeza de pensamiento de los nativos...

— *"Con el verdadero amor sucede lo mismo que con los fantasmas: todo el mundo habla de él, pero pocos lo han visto".*

LA ROCHEFOUCAULD

CARACTERISTICAS GENERALES DE ESCORPION

EL SIGNO DE LOS INSPECTORES

Trátase del segundo signo de agua, el primero es Cáncer. Sus planetas regentes: Plutón y Marte confieren a los nativos arrojo y decisión, pero debido a la influencia plutoniana son complejos por su marcada tendencia hacia la construcción o a la autodestrucción; a pesar del símbolo tan negativo que les representa, los nacidos durante este periodo, generalmente, son personas afectuosas y aun cuando poseen carácter fuerte resultan excelentes amigos, adoran a la familia y respetan a su pareja... Además trabajan sin descanso para mejorar su nivel socio-económico... Alguna vez leí en una revista, que en muchas partes del mundo tales como París, Francia, Londres, Inglaterra a los candidatos para ocupar un puesto les preguntan el signo zodiacal. También se rumora que para ingresar al FBI, requieren básicamente Escorpiones ¿a qué se debe? Simplemente a su sexto sentido; son los indicados para descubrirlo todo, por más oscuro que parezca... Tienen muchas cualidades: inteligencia, memoria, perspicacia y son muy apasionados... El animalito de su signo simboliza el aguijonazo rápido contra ellos mismos... Su peculiar sentido del humor y falta de tacto les da fama de ser un tanto sarcásticos, pero realmente cuando hieren con sus palabras lo hacen sin la intención de perjudicar; son muy francos... En la antigüedad Escorpión también se representaba con diversas formas, como el Ave Fénix, la cual simbolizaba su prodigioso resurgimiento. Asimismo lo significaron con la figura de una serpiente, por la sabiduría o como una águila por la inteligencia... El ocultismo va aunado a los nativos, les ayuda a presentir el futuro y a dar sabios consejos a quienes se los pidan... Destacan en cualquier profesión que les permita ser independientes... También logran éxitos apoteóticos en la filosofía, en el arte dramático, la literatura; la pintura, recordemos la obra maestra de Pablo Picasso, las magníficas actuaciones de Richard Burton... Los goles de Edson Arantes Do Nascimento; "Pelé"... Cuando están mal aspectados son frívolos –María Antonieta de Francia–; egoístas, negativos, destructores y dados a los excesos de cualquier índole... Como Charles Manson.

LA MUJER DE ESCORPION

Después de los 30 años le parece difícil enamorarse verdaderamente. Son posesivas y celosas. Debido a su indiscutible percepción extrasensorial, adivinan las reacciones de los hombres. Es muy diferente dejarse engañar a serlo; tal parece que éste es su lema... Una amiga un día sentenció a un hombre: "Déja de perseguirme, no soy el tipo de mujer que buscas, te casarás con alguien de clase inferior a la tuya" y sus palabras, dos años después, se convirtieron en realidad... A través de esta anécdota podemos analizar a estas nativas, fue sarcástica pero realista... Ellas piden atenciones; significan más unos chocolates que un anillo de brillantes... Las mujeres del signo no siempre son bellas, pero logran impactar a los hombres... Su mirada penetrante y misteriosa las hace irresistibles, ahí está Jodie Foster... Son apasionadas, y cuando entregan su amor son leales; claro, si descubren la mínima señal de engaño no espere fidelidad y cuando le reclame con su bella sonrisa le responderá: ''Yo no empecé, fuiste tú''... Carismáticas e inteligentes destacan en cualquier actividad... Difícilmente pierden el aplomo, asombran a quienes les rodean... Cuando le prometa algo no olvide cumplirlo, su prodigiosa memoria recordará cada punto y coma que usted hable con ella. Debido a su poder analítico cuyo desarrollo comienza desde temprana edad, estudia cuanto le rodea... Le repetimos, las Escorpión pueden ocultar bajo encantadora sonrisa cualquier emoción; aun cuando estén furiosas procuran mantenerlo todo bajo control. Suelen ir de un extremo a otro con pureza y generosidad inusitadas... Cuando se enamoran y son correspondidas, aumenta notablemente su fuerza creativa... En cuanto a la elección de su compañero, él debe ser alguien dispuesto a seguirla en sus proyectos, pero que posea la cualidad de estimularla en sus momentos de tristeza, por este motivo le agrada rodearse de personas de buen carácter, bromistas con fino sentido humorístico, porque rehuye las bromas de mal gusto. Gozan de buena salud, pero tienen problemas durante la concepción. Incluso para muchas de ellas resulta un tanto peligrosa... ¿Y, quién podría olvidar la personalidad de Nadia Comanecci? La gimnasta que debido a su afición a la comida tuvo que retirarse, sin duda es una Escorpión...

Personalidades de signo
Madame Curie, Grace Kelly, Indira Ghandi, Dolores Ibarruri "La Pasionaria", Matahari, Zoila Quiñones, Patricia Pereyra, Tania Libertad, Leonorilda Ochoa y Virginia Sendel...

EL HOMBRE DE ESCORPION

Durante su juventud son alegres y despreocupados... Muy aficionados a las aventuras en especial las de índole sentimental, recordemos lo mucho que se han comentado los tórridos idilios del actor francés Alain Delón o los grandes escándalos de Richard Burton con las conejitas del Play Boy... El escorpión es apasionado, enérgico; destaca por su nata rebeldía... Les atrae el juego intelectual, se fascinan ante lo enigmático, en especial por la mujer que despierte su curiosidad, a propósito le atraen las damas en toda la extensión de la palabra, las prefieren: cultas, educadas y pulcras, ello aun cuando no exterioricen sus pensamientos al respecto... Casi siempre se enamoran a primera vista... Debido a su encanto personal suelen rodearse de bellas mujeres, pero deben ser precavidos porque corren el gran riesgo de quedarse solos... Al contraer matrimonio profesan lealtad a su amada esposa, pero de no satisfacerle plenamente la relación, se divorcian o la engañan... También deben cuidarse de no caer en los excesos, para ellos es blanco o negro, jamás gris... Poseedores de sentido humorístico destacan por su ingenio, carisma, ¿quién podría negarlo después de observar el reinado de Pedro Infante? También deben vigilar sus palabras... Cuando están mal aspectados son celosos, desean adueñarse de su pareja mental y físicamente... Tiene hábitos primarios muy arraigados; infieles, crueles, se inclinan hacia las relaciones sadomasoquistas y caen en la depresión con frecuencia...

Personajes del signo

El Príncipe Carlos, Johnny Carson, Keith Emerson, Greg Lake, Teodoro Higuera, Roberto ''Flaco Guzmán'', Carlos Fuentes, Carlos Piñar, Raúl Araiza Jr., Charles Bronson, Fernando Valenzuela, Fernando Allende y el magnífico actor José Alonso...

Signo

Femenino, fijo y de agua.

¿SE CONSIDERA UNA TIPICA NATIVA DE ESCORPION?

Responda con sinceridad el siguiente cuestionario. Cada respuesta afirmativa equivale a cinco puntos; las negativas valen un punto y algunas veces: cero puntos…

1) ¿Le resulta difícil enamorarse?

SI NO ALGUNAS VECES

2) ¿Ayuda a los hombres débiles?

SI NO ALGUNAS VECES

3) ¿Ofrece y pide lealtad en el amor?

SI NO ALGUNAS VECES

4) ¿Perdona una ofensa, pero jamás la olvida?

SI NO ALGUNAS VECES

5) ¿Su hombre perfecto debe ser inteligente y simpático?

SI NO ALGUNAS VECES

6) ¿Siente fascinación hacia el ocultismo, la lectura de cartas o del café?

SI NO ALGUNAS VECES

7) ¿Piensa o sueña cosas que después ocurren?

SI NO ALGUNAS VECES

De 20 a 35 puntos: usted es la típica Escorpión, perceptiva e inteligente…

De 0 a 19 puntos: posee algunas características propias del signo, pero no le rige en su totalidad… Busque el cuestionario que pertenezca al ascendente y resuélvalo…

¿SE CONSIDERA UN TIPICO NATIVO DE ESCORPION?

Responda con sinceridad el siguiente cuestionario. Cada respuesta afirmativa equivale a cinco puntos; las negativas valen un punto y algunas veces: cero puntos...

1) ¿Es posesivo con quienes ama?

SI NO ALGUNAS VECES

2) ¿Exige demasiado a su pareja?

SI NO ALGUNAS VECES

3) ¿Suele violentarse sin causa aparente?

SI NO ALGUNAS VECES

4) ¿Tiende a ser autodestructivo?

SI NO ALGUNAS VECES

5) ¿Piensa que el lugar perfecto para la mujer está en el hogar?

SI NO ALGUNAS VECES

6) ¿Le gustan las mujeres educadas y pulcras?

SI NO ALGUNAS VECES

7) ¿Alguna vez se ha enamorado a primera vista?

SI NO ALGUNAS VECES

De 20 a 35 puntos: usted es el típico Escorpión: directo, apasionado y emprendedor...

De 0 a 19 puntos: posee algunas características propias del signo, pero no le rige en su totalidad... Busque el cuestionario que pertenezca al ascendente y resuélvalo...

Ramón Gaytán m.

SAGITARIO

23 DE NOVIEMBRE AL 21 DE DICIEMBRE

El símbolo astrológico del signo se toma de la flecha que lleva el centauro Quirón... Simboliza la sumisión del alma animal y el espíritu superior del hombre; o sea la trasmutación de las energías inferiores. En el plan superior produce la facultad organizadora del espíritu; la rapidez de decisión y de pensamiento...

— *En tres años me someteré a a la cirugía plástica...*

— *Pensé que te faltaban treinta segundos...*

SAGITARIO

CARACTERISTICAS GENERALES DE SAGITARIO

"EL ARQUERO" O EL SIGNO DEL SABIO CONSEJERO...

Sagitario, pertenece al tercer signo de fuego, los anteriores son Aries y Leo... Representado por el Centauro Quirón, quien, acorde con la mitología griega, simbolizaba la sabiduría, la maestría e integridad moral... Mitad hombre y mitad caballo; porta un arco y flecha en actitud de lanzarla hacia el espacio... Las patas traseras del equino se encuentran sobre el piso lo cual significa la parte material de los Sagitario y las delanteras suspendidas en el aire, representan la espiritualidad de ellos... Prácticos naturales, pero no restan su espiritualidad y así recorren el mundo en busca del éxito, el cual alcanzan indiscutiblemente... Respecto a la simbología del arco y la flecha, implica su capacidad de hablar con sinceridad, un Sagitario pulsa su arco y lanza la flecha la cual pega en el talón de Aquiles de las personas, de ahí el éxito cinematográfico de Woody Allen quien se ha dado el lujo de no recibir un preciado Oscar, por no estar dispuesto a dejar una sesión de jazz en Nueva York... Aun cuando Sagitario pertenezca a la trilogía del fuego es el más débil en intensidad, por ello mismo, sus nativos son tradicionalistas pero lo niegan con el fin de no parecer frágiles ante la opinión ajena. Poseedores de gran sabiduría, les permite visualizar el futuro y detectar cuando alguien miente. Son francos e íntegros, aman su libertad y la defienden como Bette Midler... Si usted desea un abogado eficiente pregúntele su signo y si pertenece al "arquero" tiene el ciento por ciento de posibilidades de ganar, pues les agrada defender las causas justas y nobles... Asimismo, tienen la capacidad para convertirse en excelentes políticos, científicos o grandes creativos como Walt Disney o Steven Speilberg... Desde niños dan muestras de ser hiperactivos, obedece a la genialidad implícita en ellos... Durante la adolescencia les parece difícil concentrarse en un sólo objetivo, pero demuestran verdadero sentido de responsabilidad que les obliga a cumplir sus metas... Júpiter, su planeta regente les confiere abundancia en los grandes negocios y talento artístico como a Frank Sinatra, quien además siempre ha resultado atractivo para la mujer... Debido a sus múltiples cualidades pueden aconsejar a las personas con sabiduría... De aspecto timido, aman a los animales, le agradan los deportes y sienten verdadera curiosidad hacia los temas esotéricos... Se adaptan fácilmente a las circunstancias y son felices en cualquier parte por considerarse: "ciudadanos del mundo"... Algún día la bella heroína de "Días de vino y rosas", Lee Remick renunció a su lugar natal Quincy, Massachusetts para radicar en Inglaterra y señaló: "Cuanto más lejos estoy de América, me considero una verdadera ciudadana del mundo", pensamiento y acción de Sagitario...

LA MUJER DE SAGITARIO

Para identificar a una Sagitario basta con verla caminar, su andar altivo le confiere gran prestancia, recordemos a Edith Piaff... Les agrada su hogar, pero también gustan de realizar actividades fuera del mismo... Combinan la sobriedad con la elegancia como Libertad Lamarque cuya imagen es inolvidable... Existen dos tipos de "arqueras" una corresponde a la tierra y la otra representa a la parte superior del Centauro, quien al apuntar hacia el cielo da una imagen espiritual como la inolvidable Fanny Cano; en tal caso suelen adaptarse a la vida familiar, acepta el estado doméstico, pero en su interior sueña con el sinnúmero de aventuras que le faltaron vivir... En cambio la Sagitario de tierra lucha ferozmente por mantener su independencia, exigen atenciones y combaten con ardor las ideas machistas... Ellas recorren la gama de sentimientos de un extremo a otro; van de la alegría a la depresión, dichos estados de ánimo pueden atraparlas en cualquier momento... Una de sus mayores preocupaciones es la de crecer intelectualmente. Ejemplifiquemos con Silvia Pinal quien ha destacado en la política y en el medio artístico... Sostienen conversaciones de cualquier índole con el fin de aumentar su sabiduría, porque buscan personas con quienes puedan retroalimentar sus conocimientos... Si desea conquistarles, muéstrese educado pero inteligente y por favor no le mienta en nada porque al descubrirle buscará la forma más sarcástica de herirle... ¡Les fascina el ejercicio! como le sucede a la bellísima Jane Fonda...

Personajes del signo

María Estuardo, María Callas, Alejandra Peniche, Lourdes Munguía, Lupita Lara, Ana Gabriel, Lucha Villa, Laura León, Tatiana, Lorena Velázquez, Macaria y la inolvidable Natalie Wood...

EL HOMBRE DE SAGITARIO

Cuando el hombre pertenece a la parte superior del Centauro Quirón, trátase de un ser altamente evolucionado en todos los aspectos de su vida, defiende sus ideales; es además un excelente compañero tanto en el trabajo como en las relaciones afectivas, al casarse es un gran esposo y mejor padre, a tal grado que jamás se divorciará, no puede desequilibrar la estabilidad familiar... Cuando pertenece a la parte inferior de Quirón, suele comportarse agresivamente con las mujeres, huirá del matrimonio; pero la curiosidad puede llevarlo al altar aunque su gusto dura muy poco ya que en breve tiempo, podría sentirse presionado lo cual impediría su felicidad conyugal; es más, una atmósfera excesivamente doméstica ahoga su creatividad y básicamente su libertad... Por lo general el hombre de Sagitario requiere de atenciones, le disgusta pasar inadvertido en las reuniones sociales y de presentarse tal situación opta por retirarse sin mediar explicaciones, no le gusta demostrar que han herido su amor propio... Si desea ganar la estimación o el amor de un ''arquero'', necesita: tacto, discreción y amabilidad, pero sobre todo preséntele diversos puntos de vista para evitar una relación monótona... Justo es señalar que debido a sus múltiples compromisos sociales rara vez compartirá su tiempo con su familia. Asimismo, nunca se intimide frente a su popularidad y menos aún recurra a molestas escenas de celos, porque se iría para jamás regresar, recuerde es determinante...

Personajes del signo

Winston Churchill, Sammy Davis, Joe Di Maggio, Mark Twain, Rafael Baledón, Julio Alemán, Juan Calderón, Ramiro Gamboa ''El Tío Gamboín'', Bertín Osborne, Armando Manzanero, Víctor Yturbe, Rubén Rojo, Sergio Jiménez, Otto Sirgo y el siempre admirado actor Ricardo Montalbán.

Signo
Masculino, mutable y de fuego.

¿SE CONSIDERA UNA TIPICA NATIVA DE SAGITARIO?

Responda con sinceridad el siguiente cuestionario. Cada respuesta afirmativa equivale a cinco puntos; las negativas valen un punto y algunas veces: cero puntos...

1) ¿Disfruta de las actividades fuera de su hogar?

SI NO ALGUNAS VECES

2) ¿Cuándo se enamora es fiel?

SI NO ALGUNAS VECES

3) ¿Posee mente ágil?

SI NO ALGUNAS VECES

4) ¿Busca amistad con personas sinceras?

SI NO ALGUNAS VECES

5) ¿Se considera una mujer educada?

SI NO ALGUNAS VECES

6) ¿Inexplicablemente cambia su estado anímico?

SI NO ALGUNAS VECES

7) ¿En el amor y la amistad prefiere a los hombres inteligentes?

SI NO ALGUNAS VECES

De 20 a 35 puntos: usted es la típica Sagitario: educada, inteligente y defensora de su libertad.

De 0 a 19 puntos: posee algunas características propias del signo, pero no le rige en su totalidad... Busque el cuestionario que pertenezca al ascendente y resuélvalo...

¿SE CONSIDERA UN TIPICO NATIVO DE SAGITARIO?

Responda con sinceridad el siguiente cuestionario. Cada respuesta afirmativa equivale a cinco puntos; las negativas valen un punto y algunas veces: cero puntos...

1) ¿Defiende apasionadamente su libertad?

SI NO ALGUNAS VECES

2) ¿Practica algún deporte?

SI NO ALGUNAS VECES

3) ¿Le desagradan las escenas de celos?

SI NO ALGUNAS VECES

4) ¿Huye de lo rutinario?

SI NO ALGUNAS VECES

5) ¿Se considera un amigo leal y sincero?

SI NO ALGUNAS VECES

6) ¿Unicamente confiesa sus intimidades a sus verdaderos amigos?

SI NO ALGUNAS VECES

7) ¿Le gustan los deportes?

SI NO ALGUNAS VECES

De 20 a 35 puntos: usted es el típico Sagitario: amable, leal y libre...

De 0 a 19 puntos: posee algunas características propias del signo, pero no le rige en su totalidad... Busque el cuestionario que pertenezca al ascendente y resuélvalo...

Ramón Gaytán m.

CAPRICORNIO

22 DE DICIEMBRE AL 20 DE ENERO

El símbolo astrológico de Capricornio, es una simplificación del animal que lo representa una V y una S, reunidas. Los nativos jamás descienden de su nivel socioeconómico. Aman las alturas y las tierras elevadas. Su mayor cualidad: la comprensión...

— *Gracias mi amor por tan lindo regalo... Te juro que los brillantes no me gustan por costosos... Simplemente me parece que brillan muy bonito...*

CAPRICORNIO

CARACTERISTICAS GENERALES DE CAPRICORNIO

"LA CABRA" O EL SIGNO DEL PREDICADOR

Capricornio es el último signo de la trilogía del elemento tierra, recordemos, los otros dos son: Tauro y Virgo... El emblema del signo se conforma de la siguiente manera: mitad cabra y la otra es un pez, cuya simbología representa a una de las imágenes del Dios griego Pan regidor de la industriosidad, la alegría de vivir y la potencia, aun cuando no lo demuestren; hecho atribuido a su carácter reservado, pero de alguna manera saben ganarse el cariño de propios y ajenos... Nunca olvidaremos la historia de un jovencito de quince años a quien su familia le obsequió una guitarra vieja, porque sus ahorros no le permitían adquirir una nueva. Su madre trabajaba como costurera y su padre carecía de un empleo definido, por lo que el adolescente trabajó como chofer, granjero, en una carpintería, en fin en todo aquello que pudiese representarle alguna ganancia... Le agradaba escuchar la música blues y comenzó a dar algunos acordes en su guitarra. Luchó sin descanso hasta convertirse en: "El Rey del Rock" el único Elvis Presley... Relatamos la anécdota porque describe perfectamente a los Capricornio; de la nada muchas veces triunfan, pero claro, poseen gran tenacidad; maduran jóvenes, les desagrada perder el tiempo, hacen funcionar su inteligencia y habilidades asombrosamente... En el amor buscan quien secunde sus metas, pero son dominantes y exigen demasiadas cosas para ser felices... Asimismo, desean ser reconocidos... Determinantes, nunca dan marcha atrás en cuanto a las decisiones tomadas. Cuando se fijan una meta la cumplen; aun cuando ello les obligue a renunciar a su propia libertad... En el amor buscan una pareja conveniente a sus intereses. Disfrutan del confort y la organización... De carácter dominante les seduce adueñarse de la razón... Cuando están bien aspectados son generosos, les agradan los niños y debido a su encanto e ingenio son muy estimados por la gente... Pero en el caso de estar mal aspectados se vuelven egoístas, arribistas; al igual que la cabra, no les interesa dañar para satisfacer un capricho, recordemos al famoso Al Capone, quien no reparó en barreras para obtener una posición económica, su vestuario fluctuaba entre los cuatro y cinco mil dólares ¡En plena época de la depresión!... Por lo regular, los nativos de Capricornio se aficionan a la lectura, claro, para aumentar sus conocimientos y transmitirlos a propios y extraños... Debido a su inteligencia, tenacidad y retentiva les atrae la política... En el aspecto amoroso buscan personas de mayor edad o emocionalmente maduras, les fascina alguien con experiencia... Asimismo, cuando deciden casarse analizan con cuidado a la persona; se inclinan más hacia la unión libre; temen fracasar porque durante la niñez son demasiado tímidos. Ello representa un trauma que les impide demostrar sus afectos abiertamente... En caso de haber experimentado un fracaso sentimental, evitan involucrarse a fondo otra vez. Aun cuando lo nieguen... Los capricornianos observan, después juzgan y al final aceptan o rechazan la amistad de alguien... Otra de sus grandes cualidades es la de tener los pies firmes sobre la tierra –su elemento– ¡Ah! y por favor nunca intente minimizarlos. Un Capricornio es altivo, pero tenaz como Juan Gabriel quien hasta de las relaciones amorosas conflictivas ha sacado provecho, pues de ahí han surgido bellas y populares canciones... Si desea conquistar su corazón, verdaderamente, no le dé problemas o le perderá para siempre...

LA MUJER DE CAPRICORNIO

Las nativas del signo, ejercen un extraño magnetismo, aun cuando no sean bellas. Incluso, aparentan mayor edad de la que tienen en realidad... Esforzadas por su realización personal buscan la manera de lograr sus metas financieras, ya sea a base de tenacidad o de caprichos... Desean alcanzar un reconocimiento social, pero se cuidan muy bien de no parecer calculadoras y en aras de satisfacer sus necesidades no les interesa hacer cualquier sacrificio... Ellas, al igual que las nativas de Escorpión, suelen dar muestras abiertas, de aceptación o de rechazo... Cuando están mal aspectadas su vida gira en torno de la ambición, tampoco les interesa dañar o valerse de intrigas para alcanzar sus propósitos; amorosos, sociales o de aspecto material, principalmente... En general son personas estudiosas y no les causa temor preguntar sobre los temas ajenos a ellas. Júrelo que no sembrará en el desierto. Ellas lo graban todo en su mente, aprenden con facilidad asombrosa... Yuri en sus inicios era otra mujer, vestía con escasa originalidad, pero aprendió la lección y ahí está como el clásico ejemplo de la mujer Capricornio... Si desea conquistar a una nativa muéstrele su generosidad y empeño hacia el trabajo; si usted posee ambas cualidades ella se encargará de ayudarle a ganar dinero, pero no le falle, porque fríamente le dejará y debido a su determinación la perderá definitivamente...

Personajes de Capricornio
Marlene Dietrich, Ava Gardner, Katy Jurado, Loretta Young, Diane Keaton, Ana Silvia Garza, Raquel Olmedo, Yolanda Montes "Tongolele" y Sasha Montenegro.

EL HOMBRE DE CAPRICORNIO

Los hombres de Capricornio son ambiciosos y tenaces. En general suelen destacar en sus actividades; cuando se dedican a la empresa ocupan lugares prominentes. También les atrae la política; ejemplifiquemos con la recia personalidad y filosofía de Mao Tsé Tung... En el arte, destacan debido a su tenacidad. Se dice que una vez Nat King Cole afirmó: ''Esta carrera es de perseverancia más que de talento'', frase claramente capricorniana; organizados e inteligentes, procuran el bienestar de su familia, porque desde muy jóvenes les interesa fundar un hogar... Debido a su poder de análisis procura tener los pies bien puestos sobre la tierra; sabe muy bien qué conviene a sus intereses. Particularmente me agrada el hombre capricornio. De hecho mi amuleto se llama Frank Moro; en todos mis libros aparece. Le admiro muchísimo... Y, ni que decir del talentoso Esteban Mayo quien ha logrado destacar y en grande en cuanto ha deseado; llámese cine, diseños, computación –otra faceta de los nativos– negocios y desde luego la astrología... Continuemos: el hombre Capricornio es trabajador incansable, porque le aterra la escasez de dinero y si desea conocerle en su peor momento es cuando atraviesa por una crisis financiera... Admira a las mujeres inteligentes, activas, educadas... Cuando se casa, inconsciente o quizás pensadamente busca una compañera que tenga mejor posición, vaya no le acompleja su fama, juventud, belleza o posición económica; por el contrario es motivo de orgullo para él... Adora a los niños y coopera en las labores propias del hogar... ¡Jamás olvida un favor! Como amigo es leal, generoso y un gran confidente... Cuando están mal aspectados son infieles, caprichosos y rara vez pueden establecer una relación amorosa duradera... De cualquier forma, alcanzan sus metas, hecho atribuido a su gran tenacidad...

Personalidades del signo
Stalin, Humphrey Bogart, Pablo Casals, Henry Matisse, Isaac Newton, Alfredo Zitarrosa, Freddy Fernández "El Pichi", Alfonso Arau, Luis Carbajo, Carlos Lico, Salvador Novo, Carlos Avila (Baby's), Luis Angel, Memo Rios y Guillermo Ochoa...

Signo
Femenino, cardinal y de tierra.

¿SE CONSIDERA UNA TIPICA NATIVA DE CAPRICORNIO?

Responda con sinceridad el siguiente cuestionario. Cada respuesta afirmativa equivale a cinco puntos; las negativas valen un punto y algunas veces: cero puntos...

1) ¿Le gusta comer poco?

SI NO ALGUNAS VECES

2) ¿Ahorra dinero en secreto?

SI NO ALGUNAS VECES

3) ¿Posee excelente retentiva?

SI NO ALGUNAS VECES

4) ¿Aparenta mayor edad?

SI NO ALGUNAS VECES

5) ¿Es celosa y caprichosa?

SI NO ALGUNAS VECES

6) ¿Le gustan los hombres generosos?

SI NO ALGUNAS VECES

7) ¿Le gusta leer?

SI NO ALGUNAS VECES

De 20 a 35 puntos: usted es la típica Capricornio; ahorrativa y práctica...

De 0 a 19 puntos: posee algunas características del signo, pero no le rige en su totalidad... Busque el cuestionario que pertenezca al ascendente y resuélvalo...

¿SE CONSIDERA UN TIPICO NATIVO DE CAPRICORNIO?

Responda con sinceridad el siguiente cuestionario. Cada respuesta afirmativa equivale a cinco puntos; las negativas valen un punto y algunas veces: cero puntos…

1) ¿Es pesimista?

SI NO ALGUNAS VECES

2) ¿Esconde su dinero en lugares secretos?

SI NO ALGUNAS VECES

3) ¿Le gustan las mujeres maduras?

SI NO ALGUNAS VECES

4) ¿Se considera un hombre organizado?

SI NO ALGUNAS VECES

5) ¿Le teme a la pobreza?

SI NO ALGUNAS VECES

6) ¿Le disgustan las mujeres indiscretas?

SI NO ALGUNAS VECES

7) ¿Cuando no alcanza sus ideales, ¿suele frustrarse?

SI NO ALGUNAS VECES

De 20 a 35 puntos: usted es el típico Capricornio; práctico y ahorrativo…

De 0 a 19 puntos: posee algunas características del signo, pero no le rige en su totalidad… Busque el cuestionario que pertenezca al ascendente y resuélvalo…

Ramón Gaytán M.

ACUARIO

21 DE ENERO AL 20 DE FEBRERO

El símbolo astrológico de Acuario se compone de dos líneas paralelas onduladas, y en él parece culminar la triplicidad acuosa o de agua... Su mayor don, la espiritualidad. Su mayor defecto: la distracción...

— *¿Sabes a quién saludaste tan efusivamente?*

— *Le conozco de alguna parte...*

— *Es tu vecina, desde hace quince años...*

— *Ahora que lo recuerdo es cierto...*

ACUARIO

CARACTERISTICAS GENERALES DE ACUARIO

"EL AGUADOR" O EL SIGNO DEL CIENTIFICO EN BUSCA DE LA VERDAD

Acuario es el último signo perteneciente a la trilogía del aire. Los anteriores son: Géminis y Libra... Representado por un joven que sostiene un cántaro del cual se derrama el agua. Acorde con la mitología griega se trata de Ganímedes: "El Copero de los Dioses del Olimpo"... El jarro con el líquido significa la enseñanza juiciosa impartida por los acuarianos, pues desde niños dan muestras de sabiduría y la desarrollan, aun más, a través de los años. Incluso se afirma que el símbolo quiere decir: "Dar de beber al sediento", implica el compartir sus conocimientos, pero debido a su gran talento creativo y mental causan la impresión de vivir en el Olimpo, sirviéndoles a los Dioses algo de vino... Regido por Urano, dicho planeta confiere a sus nativos visión futurista, interés hacia el ocultismo, la investigación de cualquier índole y originalidad; sobre todo lo último... Un día –en Inglaterra–, presenciamos un extraño espectáculo donde un joven maquilladísimo aparecía enmedio del escenario, rodeado de una boa constrictor. Después, me enteré que había viajado a Acapulco para casarse repentinamente, luego de haber terminado su romance con otra chica, pensé: definitivamente Alice Cooper es acuariano y, no me equivoqué, el rockero tiene como frase célebre: "Las mejores cosas de la vida carecen de sentido común". Prosigamos; ellos tienen gran parte de su energía en las manos y muchas veces pueden utilizarlas para aliviar a sus semejantes... Son grandes reformadores como Abraham Lincoln y José Martí. Debido a su nerviosismo se pierden en su creatividad... También son polémicos, desafían categóricamente las tradiciones sociales, como James Dean. Buscan el progreso científico como Tomás Alba Edison, Galileo o Darwin... O lo espiritual; Francis Bacon el filósofo y canciller de Inglaterra, perteneció a la orden Rosa cruz... Pueden ser simpáticos o insoportables pero siempre regidos por su característica franqueza. No se les llega a conocer debido a sus repentinos cambios anímicos, algunas veces perecen depresivos y otras alegres... De conceptos fijos, son obstinados y cuando alguien intenta contrariarles explotan sin mayores preámbulos... Se identifican más con quien alabe su forma de pensar y de actuar... De niños les parece difícil concentrarse en los estudios. Disculpan sus distracciones porque detestan la rutina y sobre todo el permanecer enclaustrados, pero cuando logran vencer tales complicaciones en contra de su libertad, pueden alcanzar metas insospechadas... Misteriosos natos provocan la intriga entre sus conocidos y son muchos... Como son fanáticos del progreso, les agrada la vida citadina pues les atraen las costumbres modernas y lo funcional... Gustan de la música, la actuación, la aeronaútica y todo aquello que simbolice la libertad...

LA MUJER DE ACUARIO

Las nativas de Acuario gustan de ampliar su círculo amistoso, pero se relacionan mejor con los hombres. Los ven simplemente como amigos; por tal motivo suelen contraer nupcias, muy tarde; racionalizan demasiado la pérdida de su independencia... Una vez comprometidas resultan verdaderas compañeras... Por lo regular son inexpresivas, más en el terreno amoroso... Generosas como amigas, sacrifican cualquier situación para complacer a sus amistades... Incluso les agrada compartir el éxito y el dinero con la gente de su estima... Durante la juventud rehuyen los compromisos serios, porque siempre están en espera de un hombre que las comprenda a la perfección. Lo cual es un tanto difícil porque analizan con cuidado el comportamiento de sus pretendientes a quienes muy rara vez les demuestran verdadero interés amoroso... A las Acuario les seduce la inteligencia del hombre... Cuando están mal aspectadas, poseen carácter fuerte y extraño ¡incomprensible! se hunden en una constante depresión, recorren la alegría y la tristeza con asombrosa facilidad. De jóvenes les disgusta tener hijos; claro hay excepciones como en el caso de Alejandra Guzmán, pero cuando son madres saben cuidar y proteger a sus niños; considerándoles como su tesoro más preciado... A ellas les fastidian las escenas de celos. Lo califican como una pérdida de tiempo y energía, recordemos que Farrah Fawcet optó por divorciarse de Lee Majors, argumentando una incompatibilidad de carácteres. En efecto, el celoso Tauro era demasiado hogareño y posesivo para su carácter acuariano... Cuando adoptan una pose coqueta, es sólo para satisfacer su ego y sentirse deseadas. Mucho se comentó que el famoso Bed-In de Yoko Ono con su marido John Lennon fue tan solo exhibicionismo de ella... Acuario rige la presión sanguínea, a ello obedece que las nativas tengan las manos y los pies fríos... También son afectas a la lectura de cartas, el café turco, pero claro escudan sus creencias al decir que acudieron a averiguar su futuro: "por simple curiosidad"...

Personalidades del signo:
Vanessa Redgrave, Mia Farrow, Kim Novak, Natalie Cole, Lucía Méndez, Chantal Andere, Sagrario Baena de Borja, Bibi Gaytán, Gloria Trevi y la periodista Marissa Escribano...

EL HOMBRE DE ACUARIO

Estos nativos son los más originales del zodiaco, generalmente conservan algo de misterio en su vida... Su niñez es importantísima, porque marca las bases de su comportamiento futuro; cuando los padres le educan bajo un sistema militar le trauman para el resto de su existencia, porque jamás alcanzarán la madurez emocional, necesitan del libre albedrío para no padecer transtornos nerviosos... Durante los años juveniles es aventurero y aparenta ser romántico, pero en el fondo de su mente analiza y lo registra todo, para después observar con mirada microscópica a la mujer que le interesa desde el punto de vista sentimental, parece despistado como Columbo, aquel detective interpretado magistralmente por Peter Falk quien siempre descubría al culpable, cuyo aire indefenso y despreocupado causaba la impresión de no concederle mayor importancia al caso ¡Fíese!... Acuario es afable y hasta con sus peores enemigos se comportará amable, pero no le provoque, cuando pierde la cordura ese hombre, en apariencia, indeciso, cambia de actitud para no dar marcha atrás... Difícilmente revela sus auténticos sentimientos; aun cuando su pasatiempo favorito sea el de averiguar el comportamiento "mortal". Sus reacciones y motivos son complejos y surgen de sus propias deducciones... Conquistarle resulta difícil, prefiere a una mujer llena de secretos, descubrirlos le mantiene ocupada la mente. Cuando quiera alejarlo condicione su libertad, revele sus más íntimos secretos y sea rutinaria, celosa y oblíguele a gastar su dinero en algunos "caprichitos"... Tampoco espere la celebración de fechas importantes para usted, él vive en su propio mundo... Paradójicamente, cuando tiene detalles, son de buen gusto y aunque procuran contraer matrimonio tarde, al igual que las mujeres de su mismo signo, detestan presionarse con la fecha de una boda... Sociables natos, muchas veces prefieren retroalimentar sus conocimientos con otros hombres; no se enfade cuando la cambie por sus amigos... Tampoco son afectos a dar explicaciones sobre sus largas ausencias, tal vez se entretuvo en curiosear frente a los aparadores o simplemente surgió un compromiso social, repentino, que por razones obvias no pudo evitar. Y, usted, arreglada y llena de ilusiones porque iban a pasar una noche fuera de casa, debe guardar su coraje para otra ocasión, porque él jamás admitirá reclamo alguno; después de todo no siente haberle causado ningún daño... Y como, por lo general, son leales, estará obligada a perdonarle... Cuando están mal aspectados son indolentes, agresivos, infieles y mentirosos...

Personajes del signo:
James Joyce, Mozart, Shubert, Francoise Truffaut, Federico Fellini, John Ford, Jimmy Durante, John Travolta, Paul Newman, Axl Rose, Javier López "Chabelo", Vicente Fernández, Alexando Jodorowski, Luis Gimeno, Jaime Garza, Ramiro Garza, Manuel "El Loco Valdés", David Reynoso, Adalberto Martínez "Resortes", Raúl Ramírez, Mijares y José José...

Signo:
Masculino, fijo de aire.

¿SE CONSIDERA UNA TIPICA NATIVA DE ACUARIO?

Responda con sinceridad el siguiente cuestionario. Cada respuesta afirmativa equivale a cinco puntos; las negativas valen un punto y algunas veces: cero puntos...

1) ¿Los celos desgastan su energía?

SI NO ALGUNAS VECES

2) ¿Cambia de planes inesperadamente?

SI NO ALGUNAS VECES

3) ¿Le teme a la pobreza?

SI NO ALGUNAS VECES

4) ¿Se considera exigente para elegir pareja?

SI NO ALGUNAS VECES

5) ¿Evita relacionarse con hombres poco inteligentes?

SI NO ALGUNAS VECES

6) ¿Piensa que debe ser madre después de los veintisiete años?

SI NO ALGUNAS VECES

7) ¿Teme perder su libertad?

SI NO ALGUNAS VECES

De 20 a 35 puntos: usted es la típica nativa de Acuario; ama su libertad y no desea sacrificarla en aras del amor o de los hijos...

De 0 a 19 puntos: posee algunas características del signo, pero no le rige en su totalidad... Busque el cuestionario que pertenezca al ascendente y resuélvalo...

¿SE CONSIDERA UN TIPICO NATIVO DE ACUARIO?

Responda con sinceridad el siguiente cuestionario. Cada respuesta afirmativa equivale a cinco puntos; las negativas valen un punto y algunas veces: cero puntos...

1) ¿Con frecuencia le acusan de inestable?

SI NO ALGUNAS VECES

2) ¿Insiste en ser franco a pesar de las críticas?

SI NO ALGUNAS VECES

3) Sin desearlo, ¿es impuntual?

SI NO ALGUNAS VECES

4) ¿Es reservado?

SI NO ALGUNAS VECES

5) ¿Se distrae fácilmente?

SI NO ALGUNAS VECES

6) ¿Le gustan las mujeres enigmáticas?

SI NO ALGUNAS VECES

7) ¿Huye de cualquier tipo de presión?

SI NO ALGUNAS VECES

De 20 a 35 puntos: usted es el típico nativo de Acuario; creativo y defensor de su libertad...

De 0 a 19 puntos: posee algunas características propias del signo, pero no le rige en su totalidad... Busque el cuestionario que pertenezca al ascendente y resuélvalo...

Ramón Gaytán M.

P I S C I S

21 DE FEBRERO AL 20 DE MARZO

El símbolo astrológico de Piscis se compone de semicírculos juntos, lo cual significa la unión de los elementos positivo y negativo y, por tanto la liberación de las limitantes... Su virtud principal es la búsqueda de la paz espiritual...

— "Cualquier lugar del mundo es un paraíso."

GEORGE HARRISON

CARACTERISTICAS GENERALES DE PISCIS

"EL PEZ" O EL SIMBOLO DE LA POESIA MISTICA

Piscis es el último signo perteneciente a la triplicidad del agua. Los otros son Cáncer y Escorpión... Representados simbólicamente por dos peces uno en dirección hacia el Norte y el otro hacia el Sur, imagen del principio y fin de lo metafísico, es decir de lo evidente mezclado con el ocultismo. Su planeta regente Neptuno imparte a estos nativos cierto misterio, pero además misticismo, como a George Harrison quien prácticamente habita en la India en un Ashram, rodeado de incienso y Lamas... Les otorga benevolencia, provoca clarividencia, de ahí surge su hipersensibilidad, pero también les causa fuertes desilusiones amorosas o tormentosos matrimonios... Ahí tenemos a Elizabeth Taylor y la sensible Liza Minelli, ambas en la eterna búsqueda del amor... Continuemos: debido a la influencia neptuniana tienden a la depresión y su emotividad abarca todas las gamas... Reflexivos naturales, siempre encuentran la forma de resolver el problema económico. Nunca les falta el dinero, pero necesitan desterrar la fatalidad de sus vidas... Así como los peces alcanzan las profundidades del agua, de igual forma ellos se adentran en hondos análisis espirituales y por ende son las personas más psíquicas del zodiaco... Abarcan más allá de los cinco sentidos. Incluso a través de los sueños pueden adivinar los acontecimientos futuros tanto de ellos como de otras personas. Suelen ser aficionados al ocultismo como Sybil Leek, la periodista inglesa quien abiertamente se declara: "bruja"... Luego no es de extrañarse que muchos de ellos, de manera inconsciente, se sirvan de sus dotes telepáticos para alcanzar la mayoría de sus logros...

También poseen telekinesis, es decir, mueven objetos a distancia... En cierta ocasión, una estimada amiga llamó por teléfono a las 2:00 de la madrugada. Estaba aterrada, porque las puertas de su casa se abrían o cerraban: "No hay viento, no sé que sucede". Recordé su signo y calmadamente le dije: "Tú provocas el fenómeno, despreocúpate"... En todas las épocas Piscis ha aportado genios al mundo. Miguel Angel es uno de ellos o el bailarín Rudolf Nureyev. También Frederic Chopin y Víctor Hugo, por mencionar algunos. Todos ellos nacidos bajo la influencia neptuniana... Les agrada la soledad, incluso disfrutan plenamente de ella. Se aislan para encontrarse a sí mismos como Harrison, pero cuando renuevan su vida social la gozan con intensidad. Debido a sus alejamientos de lo mundano adquieren la sensibilidad suficiente para comprender los problemas extraños, los que analizan para luego externar un sabio consejo... Otra de sus grandes virtudes es la honradez y brindarle ayuda desinteresada al necesitado... Tampoco les interesan los bienes materiales; su carácter filantrópico les impide amasar grandes fortunas, no obstante se les dá, hecho atribuible a sus múltiples cualidades; además conocen la vida íntima de muchas personas. Cuando tienen un amigo verdadero lo defienden contra viento y marea al grado de cegarse ante los defectos que puedan tener... Es raro que un Piscis que sea combativo, prefiera ganarse los derechos por la vía legal ¡Ah! pero sí deciden luchar por sus ideales se convierten en personas obstinadas... Cuando están mal aspectados no pierden sus dotes artísticos y de sensibilidad, pero debido a su falta de carácter se frustran, tienden a autocompadecerse, se inclinan a los vicios –de cualquier índole– al grado de que su depresión podría llevarles al suicidio. Este Piscis teme al ridículo y huye de lo rutinario, además muestran aversión hacia el trabajo físico, pero sólo cuando están mal aspectados... En general estos nativos padecen de dolores en los pies y sufren de sobrepeso o son en extremo delgados... Asimismo, deben aprender a vencer la inestabilidad de carácter porque tal hecho puede restarles méritos ante la sociedad...

LA MUJER DE PISCIS

Extremadamente sensible, de mirada profunda y expresiva... Cuando pisan el suelo parecen no tocarlo, como Jean Harlow en el momento en que aparecía en los escenarios... Ellas prefieren al hombre inteligente y paternalista, lo requieren para sentirse amadas y a su vez protegidas. Por desgracia es muy difícil que se realicen en el amor; poseen marcada tendencia a sufrir constantes desilusiones; lo peor surge cuando mezclan sus problemas íntimos con su carrera, ello frena su creatividad... No obstante, debido a su intuición nata alcanzan sitios prominentes, sobre todo en el arte donde pueden realizarse. Cuando tienen pareja se entregan sin reservas, porque buscan la paz a través del amor, pero deben involucrarse con un hombre estable y comprensivo para que acepte sus constantes depresiones... Ellas son afectuosas y obtienen sin proponérselo muchos beneficios gracias a su ternura... En general les agradan los niños; cuando los tienen procuran educarles con sensatez y saben inculcarles bases morales sólidas... Si están mal aspectadas son incapaces de tomar decisión alguna; se agreden de muchas formas; una puede ser el aficionarse por la comida rica en grasas y proteínas para aumentar de peso, ya que de esta manera desahogan su frustración... Adoran las mascotas y requieren mucha tranquilidad, en particular en el hogar... ¡Ah! Les fascina cambiar de imagen, porque les disgusta verse siempre igual.

Personajes del signo:
Dinah Shore, Lola Beltrán, María Victoria, Sara Montiel, Ofelia Medina, Roxana Chávez, Guadalupe Pineda, ''Yuyito'' Kena Moreno, Alejandra Meyer, la siempre admirada Sally Perete y la periodista Guadalupe Ruiz Narvaez.

EL HOMBRE DE PISCIS

Debido a su enorme sensibilidad y profundos conceptos los piscianos suelen deprimirse ante la injusticia... Su nerviosismo muchas veces les hace comportarse con agresividad, cuando están bajo fuertes presiones ya sean personales o de trabajo... Ellos poseen una gran inspiración y mente futurista, ahí está la obra literaria de Julio Verne que demuestra la creatividad y visión de los nativos de este signo... Inclinados hacia la quietud, prefieren la paz del hogar a un sitio demasiado ruidoso y concurrido... Cuando saben utilizar su intuición alcanzan grandes éxitos en el arte como Renoir y en la política como George Washington... Al igual que las mujeres de su mismo signo, les representa un enorme esfuerzo realizarse sentimentalmente; sufren decepciones, porque depositan su amor en la mujer menos adecuada; en síntesis deben seleccionarla con cuidado y requieren ser menos confiados... Pese a lo anterior, hacia la edad madura establecen un hogar próspero y armonioso... También deben vencer su idealismo y situarse más en la realidad, obsérvelos bien y sus ojos parecen soñadores y ¡lo son! ¿no le dicen nada las miradas de David Niven o de Dyango? aunque, jamás lo mencione, porque se disgustan cuando alguien se atreve a sugerirles algo que los baje de la nube... Cuando enfocan adecuadamente sus anhelos como el admirado periodista Ricardo Rocha, logran trabajar y alcanzar el éxito. Triunfan en la literatura, la comunicación y el arte escénico en general, ahí está el gran director Luis Buñuel cuya obra cinematográfica ha recorrido el mundo... Afectos a los placeres terrenales se convierten en personas controvertidas dada su espiritualidad... Les disgusta revelar sus intimidades, sólo lo hacen con quienes consideran de su plena confianza. El aspecto económico no les interesa, pero cuando se trata de proveer a su familia lo sacrifican todo... En caso de estar mal aspectados tienen sueños irrealizables y al no lograrlos, se hunden en la total depresión, se rodean de personas y lugares inconvenientes con el afán de autodestruirse... Además presentan síntomas agudos de inestabilidad emocional; atacan a familiares y conocidos. Son infieles, pero se disculpan al afirmar: "No puedo encontrar a la mujer ideal"... Los piscianos resuelven la gran mayoría de sus conflictos por intuición. También les apasiona descubrir los secretos del más allá y del cosmos. Recordemos que Jackie Gleason dedicó gran parte de su vida a la investigación del fenómeno OVNI, su esposa confesó que el comediante había tenido la oportunidad de conocer a unos hombres verdes y ¡no lo dude!...

Personajes del signo
Harry Belafonte, Johnny Cash, Ted Kennedy, Tenesse Williams, Jerry Lewis, Héctor Bonilla, Luis de Alba, Fernando Almada, Mauricio Garcés, Ernesto Alonso, Los Licenciados Genaro Borrego, Manuel Barttlet y mi eternamente admirado José Luis Cuevas...

Signo
Femenino, común y de agua...

¿SE CONSIDERA UNA TIPICA NATIVA DE PISCIS?

Responda con sinceridad el siguiente cuestionario. Cada respuesta afirmativa equivale a cinco puntos; las negativas valen un punto y algunas veces: cero puntos...

1) ¿Tiene mirada profunda y expresiva?

SI NO ALGUNAS VECES

2) ¿Se considera romántica?

SI NO ALGUNAS VECES

3) ¿Inspira confianza?

SI NO ALGUNAS VECES

4) ¿Se considera nerviosa?

SI NO ALGUNAS VECES

5) ¿Escucha, analiza y resuelve los problemas ajenos?

SI NO ALGUNAS VECES

6) ¿Tiene sueños premonitorios?

SI NO ALGUNAS VECES

7) ¿Tiene conflictos de índole sentimental?

SI NO ALGUNAS VECES

De 20 a 35 puntos: usted es la típica Piscis; sensible y analítica, pero con ciertas dificultades para realizarse en el amor...

De 0 a 19 puntos: tiene algunas características del signo, pero no le rige en su totalidad... Busque el cuestionario que pertenezca al ascendente y resuélvalo...

¿SE CONSIDERA UN TIPICO NATIVO DE PISCIS?

Responda con sinceridad el siguiente cuestionario. Cada respuesta afirmativa equivale a cinco puntos; las negativas valen un punto y algunas veces: cero puntos...

1) ¿Le deprime la injusticia?

SI NO ALGUNAS VECES

2) ¿Considera menospreciado su talento?

SI NO ALGUNAS VECES

3) ¿Prefiere regalar un verso o una joya?

SI NO ALGUNAS VECES

4) ¿Sufre con la miseria ajena?

SI NO ALGUNAS VECES

5) ¿Se deprime fácilmente?

SI NO ALGUNAS VECES

6) ¿Le aterran las enfermedades?

SI NO ALGUNAS VECES

7) ¿Cuando le sitúan en la realidad le molesta?

SI NO ALGUNAS VECES

De 20 a 35 puntos: considérese un típico nativo de Piscis; creativo y romántico...

De 0 a 19 puntos: posee algunas características propias del signo, pero no le rige en su totalidad... Busque el cuestionario que pertenezca al ascendente y resuélvalo...

CAPITULO II

FISONOMIA DE CADA NATIVO

— *Quiero un vestido, talla 9*

— *Disculpe ¿está segura?*

— *Traígalo, por favor y no discuta...*

— *Le quedó muy bien*

MUJER ARIES
(DE COMPRAS)

CARACTERISTICAS Y PERSONALIDAD

A R I E S

Hombre:

Alto o de estatura regular los nativos se distinguen por su carisma y personalidad. De cejas pobladas, frente ancha y labios gruesos, rara vez tienen problemas de calvicie. Su carácter es impulsivo y enérgico.

Mujer:

Tienden a verse de mayor talla, se debe a que su estructura ósea es ancha, no obstante tienen la cintura breve, cuello corto y los pies pequeños, aunque hay sus excepciones. Las arianas son hipertensas y por lo tanto se les recomienda hacer algún ejercicio para relajar sus nervios.

T A U R O

Hombre:

Tendencia a aumentar de peso, se ve fuerte. Su cabello es fino y generalmente, castaño. Por lo regular, tienen el cuello ancho que se asemeja al del toro –animal de su signo–. Su personalidad es definida; trabaja con ahínco para asegurar su economía. Existe otro tauro; delgado, pese a ello su estructura ósea es fuerte, de carácter sociable, cumplido en su trabajo y sumamente atraído por el arte.

Mujer:

Tiende a aumentar de peso; posee estatura regular, busto y caderas protuberantes, cejas pobladas; labios carnosos y de hombros caídos. Simpáticas, hogareñas, pero extremadamente celosas.

GEMINIS

Hombre:

Delgado, estructura ósea mediana. Expresión aparentemente serena. Labios y ojos regulares, nervioso; pero tiene gran suerte en las finanzas y le fascina retroalimentar sus conocimientos.

Mujer:

Casi siempre es alta y delgada. De busto pequeño, labios carnosos, piel transparente y delicada. Detesta la soledad, exige llevar una vida social muy activa, cuando no la tiene se convierte en la persona más aburrida y depresiva del mundo.

CANCER

Hombre:

No existe una estatura definida en estos nativos. Se distinguen por sus manos y pies grandes. Rostro oval, mandíbula pronunciada y caída. Son tenaces e impacientes, hogareños. Procura externar sus ideas en forma clara y brillantemente; eso cuando se decide a hablar. Ama sus posesiones al grado de parecer egoísta.

Mujer:

De estatura regular; busto y caderas protuberantes, ojos pequeños o regulares; de mirada penetrante y rostro oval. Tienen instinto maternal lo cual las convierte en excelentes esposas y madres. Cuando están frustradas pierden el control fácilmente.

LEO

Hombre:

Cuerpo fuerte; piernas cortas cabello fino, pero abundante, mandíbula pronunciada. Tiene los ojos grandes, expresivos y de pícara mirada. Su carácter es firme. A semejanza del león parecen tranquilos, pero cuando los atacan responden agresivamente. Se interesan por conservar su posición social y sienten especial satisfacción cuando alguien alaba sus múltiples conocimientos.

Mujer:

Poseedoras de un gran atractivo físico, tienen ojos grandes, de mirada sensual, piernas cortas y torneadas. Generalmente estas nativas poseen una abundante y sana cabellera. Su rostro es redondo, y su cuello, orejas y nariz pequeños. Le agrada recibir amistades en su hogar que, casi siempre, es elegante y confortable.

VIRGO

Hombre:

De apariencia ágil y cuerpo esbelto –aunque hay sus excepciones– sus dedos y hombros son finos. Cabello ralo y a menudo escaso, nariz recta; barba partida y ojos regulares de mirada alegre. Les agrada complacer a su familia y amistades cercanas. Acostumbra analizar cuidadosamente las reacciones de las personas para evitarse desilusiones.

Mujer:

Cuerpo estético; piernas delgadas y pies pequeños. Cara alargada y ojos ligeramente almendrados; nariz mediana y boca ancha. Inteligente y certera en sus juicios críticos; le disgusta equivocarse porque es amante del perfeccionismo.

LIBRA

Hombre:

La estatura varía, pero la forma de su cuerpo torneado no cambia. De brazos delgados; caderas y muslos bien delineados. Su rostro es ancho en la parte superior y angosto en la parte de los pómulos hasta la barbilla. Algunos Libra tienen hoyuelos en las mejillas. Trabaja arduamente, pero después busca la tranquilidad de su hogar para relajarse. Estos nativos se realizan verdaderamente en cualquier faceta artística.

Mujer:
De estatura regular, es muy atractiva para el sexo opuesto, debido a su físico curvilíneo del cual destacan las piernas y el busto. Su rostro se asemeja al de los hombres del mismo signo. Labios sensuales, ojos redondos, de pícara mirada y algunas tienen la barba partida. Dan la impresión de vivir en completa armonía. Su voz dulce les ayuda a proyectar una imagen tierna; admiran a las personas sociales y elegantes.

ESCORPION

Hombre:
Físicamente atractivo. De estructura ósea fuerte y recia musculatura; piernas largas, manos grandes y cuadradas. Rostro oval, cejas tupidas, ojos de regular tamaño, mirada penetrante y boca sensual. Tienen una mente demasiado ágil y se caracterizan por externar juicios certeros e imparciales. Les fascinan los retos, aun cuando parezcan imposibles, ellos encuentran la forma de vencerlos porque no soportan la derrota.

Mujer:
Atractivas físicamente, deben vigilar su peso continuamente, porque debido a su estructura ósea tienden a verse de mayor talla. Poseen rostro oval, ojos de regular tamaño, mirada inquisitiva y boca sensual. Las cejas a diferencia del hombre están bien delineadas, pero son escasas. A pesar de su carismática y sensual personalidad, les resulta difícil la intimidad con el sexo opuesto.

SAGITARIO

Hombre:

No existe un patrón de estatura en nativos de este signo; puede ser alto o bajo; pero tiene figura esbelta, muslos y piernas largas es, por lo general, de frente ancha, ojos de regular tamaño, mirada clara y vivaz; nariz recta y boca regular. Poseedores de una mente inquieta aparentan ser los eternos niños del zodiaco; su curiosidad jamás queda satisfecha. Les agrada conocer los hechos antes que nadie.

Mujer:

Posee talle largo; figura de complexión regular, piernas largas, cara oval, cejas escasas, ojos grandes de mirada curiosa, boca regular. Ellas aman profundamente la libertad y admiran a las personas inteligentes; no soportan sus crisis existenciales y cuando alguien les ataca, suelen buscar el lado humorístico para no amargar su carácter.

CAPRICORNIO

Hombre:

Procura conservarse físicamente esbelto. De rostro alargado y ojos redondos –pequeños o grandes– mirada lánguida, hacen pensar a quienes les tratan que viven eternamente preocupados. Los nativos buscan la comodidad económica y piensan constantemente en la forma de atraer la prosperidad financiera a su vida, pero debido a la influencia de saturno alcanzan el triunfo a una edad madura. Románticos, se dice que una noche a su lado es un recuerdo inolvidable.

Mujer:

Físicamente, no existe patrón definido, pero las verdaderas Capricornio tienden a ser gruesas. De cabello lacio y brillante, rostro alargado, ojos de regular tamaño de mirada melancólica y pómulos marcados. Ellas al igual que los hombres del signo, ambicionan una posición estable. Cuando, para su desgracia, se ligan sentimentalmente a un hombre, carente de iniciativa o que no les cumpla sus caprichos, se transforman en personas agresivas y apáticas.

ACUARIO

Hombre:

Suele ser o alto o bajo de estatura, de complexión regular, tiene brazos largos, facciones agradables. Su principal característica esta en su boca; el labio superior es más delgado que el inferior. Las canas invaden su cabeza antes de los cuarenta años. De voz bien timbrada y suave, los acuarianos viven inmersos en sus pensamientos y rara vez externan sus verdaderos sentimientos. Cuando uno piensa que están felices, puede suceder todo lo contrario. Si nacen mal aspectados, actúan hipócrita y cobardemente.

Mujer:

Esbelta –en general– de regular estatura, aparentan menos edad de la que tienen, poseen apariencia de niña. De busto regular y piernas bien torneadas son atractivas para el sexo opuesto. De rostro oval, tienen los ojos un poco separados de la nariz. Ellas no saben disimular las emociones, sobre todo cuando se enojan.

PISCIS

Hombre:

De físico esbelto y agradable, tienen cabello brillante y sedoso. Se reconocen por el tono pálido de su cutis. Cara alargada, ojos pequeños de triste mirada. Orejas largas, angostas y terminadas en punta. Inteligentes, románticos e hipersensibles; difícilmente se les conoce realmente, porque saben ocultar su verdadera personalidad. Incluso, cuando usted piense que lo tiene atrapado, suele huir como un pez entre las manos.

Mujer:

Destaca por su femineidad; poseen busto y caderas exuberantes. Cabello y piel suaves. Rostro oval, nariz respingada, ojos pequeños, muy expresivos. Proyecta amor, ternura y amabilidad, cualidades que forman parte de su personalidad. Ayudan a quienes aman. Cuando están mal aspectadas se comportan en forma opuesta a lo anteriormente señalado.

CAPITULO III

COMPATIBILIDAD CON LAS PERSONAS DE TODOS LOS SIGNOS...

AMOR, SEXO, ESTUDIOS, VIAJES, NEGOCIOS Y AMISTAD

COMPATIBILIDAD

De acuerdo a la investigación realizada con miles de personas, descubrimos que, otra de las inquietudes, gira en torno a conocer la compatibilidad con la gente, ya sea en el amor, trabajo, negocios, estudios y viajes.

Desde nuestro particular punto de vista, todos podemos interrelacionarnos bien, pero debemos conocer a nuestros semejantes con el fin de obtener resultados positivos. A través de este capítulo detallamos los rasgos característicos de las relaciones y algunas veces sugerimos el patrón de conducta a seguir para lograr la afinidad deseada.

Recuerde: el ascendente también cuenta, por ejemplo: Cáncer-Géminis y un Libra-Escorpión; consulte Cáncer y Libra después Géminis-Escorpión, en este caso el signo solar compagina con el ascendente, como observará existe la afinidad y obtenemos tres posibilidades de encontrarla de acuerdo a lo anteriormente expuesto ya que, también checamos el solar con el ascendente.

No olvide que el signo solar es el que conocemos de acuerdo a nuestra fecha de nacimiento, y que el ascendente se determina por la hora de nacimiento.

ARIES Y SU RELACION CON OTROS SIGNOS

ARIES: Combinación difícil para vivir... Jamás puede haber dos estrellas en la familia. Ambos son apasionados, pero además guerreros; por ende intentarán dominarse mutuamente. En el aspecto sexual fuerte atracción, la cual se extingue por falta de entendimiento...Relación altamente complicada en los negocios...

TAURO: Debe aprender a claudicar ante la impetuosidad ariana. Existen cosas afines y se puede entablar una gran amistad; asímismo en el terreno sexual son muy apasionados... En los negocios buena sociedad, Tauro laborioso, Aries también y sobre todo muy inteligente; pueden llegar muy lejos...

GEMINIS: Magníficos compañeros de viaje, negocios y estudios. En el amor Aries despierta en Géminis pasiones desconocidas; logran buena comunicación, pero ambos se desesperan, porque se acusan mutuamente de inestables. En lo sexual hay compatibilidad...

CANCER: Tienen mucho en común, adoran su hogar y Aries siempre aprende algo del cangrejo; en los negocios discuten, pero el tierno canceriano termina por ''concederle'' la razón al insistente carnero quien siempre le dominará; incluso sexualmente...

LEO: Ambos son aventureros, les agrada compartir experiencias, pero viven en lucha permanente para establecer quien tiene el poder; en dicha contienda nadie gana y al final prefieren respetar la inteligencia de cada uno. Sexualmente hay un cierto entendimiento; fuego contra fuego, pero no será duradero.

VIRGO: Después de los treinta años resulta favorable en el amor, la amistad y los negocios. Virgo comprende y acepta el liderazgo de Aries, es más le parece atractivo ordenar discretamente su vida en todos los aspectos... Sexualmente, Virgo fingirá demencia cuando el carnero lo engañe...

LIBRA: No existen intereses comunes. Relación inestable para ambas partes. Básicamente deben evitarse confrontaciones violentas lo cual parece difícil, porque Libra jamás querrá darle la razón, en el amor tomarán su relación como un verdadero campo de batalla... Sexualmente no tienen posibilidad de entenderse...

ESCORPION: Entre ellos predomina el aspecto sexual donde se complementan muy bien. Su vida en cualquier aspecto se basa en la comprensión, para evitar discusiones. Aries siempre aprenderá algo de Escorpión. Ambos poseen magnetismo, personalidad y luchan por sus ideales, se admiran y respetan mutuamente. Maravillosa combinación en los negocios y las sociedades en general...

SAGITARIO: Procuran respetar su libertad, pero Aries desconfía del carácter impetuoso del arquero. Cuando discuten se sacude todo lo que esta a su alrededor. Extremadamente apasionados en el sexo; pasado ese momento recuperan la tranquilidad y se arrepienten. Combinación ideal para: viajes, negocios y estudios.

CAPRICORNIO: Las sociedades y los negocios están maravillosamente aspectados, pero en el amor es prácticamente imposible ya que ambos luchan por dominarse uno al otro. Solamente con un gran esfuerzo podrán consolidar su amor. Aries coqueto y Capricornio celoso. Esta debería ser una relación de una sola noche porque sexualmente en principio hay fuego; después tiende a extinguirse, sin remedio...

ACUARIO: Al unirse afrontan una serie de problemas los cuales podrán enmendar de momento, pero al final se desilusionan.

Aries intentará "poseer" al hijo del aguador, lo cual es prácticamente imposible. Sexualmente el carnero se mostrará egoísta, porque únicamente deseará alcanzar su propia satisfacción. Tampoco es una pareja adecuada para los negocios, no obstante es magnífica para viajar, estudiar y tener una buena amistad.

PISCIS: Aries es directo en sus conceptos, los exterioriza sin temor alguno, el pisciano evita delatar sus sentimientos. Cuando se involucran sentimentalmente, el poderoso carnero domina al pez quien se muestra abnegado y no lucha para salvarse del dominio ejercido sobre de él... Podría ser una pareja ideal de madre Piscis a hijo Aries. El pez jamás buscará vengarse de los coqueteos vanales del carnero; estoícamente le perdonará sus aventuras... Relación difícil en los negocios, excelente para resolver problemas y viajar.

TAURO Y SU RELACION CON LOS OTROS SIGNOS

ARIES: Ambos son en extremo celosos y por ende posesivos, están expuestos a entablar conflictos difícilmente salvables; todo esto dentro del terreno amoroso... Sin embargo como amigos suelen llevarse de maravilla, la honestidad de ambos es digna de alabanza... Cuando se asocian en las finanzas suelen levantar un imperio, todo esto gracias a la inteligencia del carnero y la capacidad de ambos para trabajar...

TAURO: Se comprenden bastante bien siempre y cuando eviten discutir, por esto deben respetar sus gustos lo cual pueden lograr a base de un gran esfuerzo... En el trabajo procuran el mismo objetivo; laborar sin descanso con el fin de satisfacer las necesidades de su familia y desde luego las suyas... Amantes del hogar, lujos, buena comida y de la familia se acoplan bien aun cuando la relación pareciese tormentosa –por sus disgustos– pero es duradera.

GEMINIS: Probable relación mental y física. Debido a lo apasionado de su carácter, Tauro no suele reparar en detalles que Géminis con su mente analítica descubre, señala fríamente y les da una solución adecuada; el conflicto estriba en apreciar el consejo sobre todo en las sociedades mercantiles y amistosas. En el aspecto sexual el toro apasionado despierta en Géminis la sensualidad, pero los celos deben ser controlados porque el gemelo no admite reclamación alguna; rehúsa dar explicaciones porque ama demasiado su libertad y mientras uno desea estar en casa el otro prefiere cultivar las relaciones públicas. Difícil pero no imposible que Tauro ceda; a cambio de ello recibirá dinero y en consecuencia no tendrán problemas económicos. Piénselo bien...

CANCER: Compatibilidad en todos los aspectos... Persiguen los mismos objetivos, les gusta comer, vivir bien, cuidar a su familia, ahorrar para no sufrir privaciones económicas, pero de vez en cuando puede surgir algún conflicto porque el cangrejo le acusará de "testarudo"... Sexualmente son apasionados y afines en temperamento... Magnifica relación para: viajes negocios y amistades largas.

LEO: Pese a los fuertes conflictos emocionales la relación es duradera... En el amor abundarán los dramas pasionales. El rey Leo dueño del zodiaco, intentará dominar el toro, quien al principio no opondrá resistencia, pero después luchará para recuperar su libertad y ahí empezará el conflicto que durará, tal vez, por siempre. Ambos son magníficos anfitriones y disfrutan de las reuniones en su casa... En los negocios, estudios, viajes y sociedades comparten los mismos intereses...

VIRGO: Relación perfecta... Se llevan bien tanto en los negocios como en el amor... En el sexo tienen gran empatía... En el trabajo desean estabilidad económica y cuando Virgo se desanima Tauro con su tenacidad le ayuda a seguir en la lucha. Se respetan mutuamente y cuando riñen su enojo dura poco tiempo... Por lo regular, viven en armonía.

LIBRA: Magníficas relaciones de trabajo, persiguen los mismos objetivos tanto en los negocios como en el amor... Tauro admira la armonía, el sentido artístico y la imaginativa sensualidad de Libra. Puede resultar en el matrimonio siempre y cuando el toro respete los juicios críticos y la libertad de la persona.

ESCORPION: Relación muy apasionada con escenas de celos de ambas partes. Comparten momentos intensos, pero debilitan su relación por su necedad... Escorpión siente un placer insano en destruirlo... Excelente para viajar, hacer negocios, acudir a reuniones; pero si desean casarse deben pensarlo mucho y limar las asperezas antes descritas...

SAGITARIO: Es muy difícil que se atraigan, pero en caso de surgir alguna chispa de amor entre ellos sería efímera. Sobran las razones; el toro busca simpleza en sus conceptos lo que saca de quicio a la otra persona, uno ama la libertad y el otro desea permanecer en casa, detalles que con el paso del tiempo crecen y terminan con la relación amorosa... No obstante en las asociaciones de trabajo o de negocios pueden armonizar debido al incansable trabajo del toro y a la inteligencia del arquero.

CAPRICORNIO: Relación conveniente en los negocios y en el amor. Se apoyan en cualquier proyecto sobre todo en las finanzas; pueden alcanzar alturas insospechadas... Deben aprender a respetar sus conceptos y evitar contradecirse durante las discusiones ya que, ambos quieren tener la razón en todo... Sexualmente compaginan porque son apasionados, pero Tauro es más conservador y puede asustarle la audacia de la cabra, quien se muestra por demás apasionada y sensual...

ACUARIO: Unión bastante difícil de sostener en el terreno sentimental y en los negocios... Acuario totalmente desubicado provoca demasiados conflictos emocionales y tiende a pelear todos los días con el nativo de tauro... Combinación imposible en cualquier aspecto, en el sexual pudieran sentirse atraídos, pero la escasa madurez de Acuario termina por alejar a Tauro.

PISCIS: Atracción fuerte en el terreno amoroso, pero Tauro es menos sensible que la otra persona, quien se atormentará siempre y la disgustará abiertamente cuando lo baje de su nube... En los negocios sólo triunfarán cuando se combine el talento y la ambición de poder... Como amigos Tauro ayudará a Piscis a olvidar sus depresiones...

GEMINIS Y SU RELACION CON OTROS SIGNOS

ARIES: Se complementan en plan amistoso ya sea en viajes, investigaciones y negocios... En el amor, relación sexual intensa, pero de poca duración, atribuible a su inestabilidad y coquetería natural... Excelente para viajes, negocios y, como, ya lo señalamos, en la amistad, aun cuando se alejen por un tiempo.

TAURO: En los negocios se llevan bien, pero en el amor no son afortunados... Ambos profesan un interés común: triunfar económicamente. Se complementan la habilidad del gemelo para hacer dinero (lo cual logra por ser hijo de Mercurio) y la tenacidad para trabajar sin tregua del toro... En el terreno sexual se gustan y Tauro desafía la frialdad aparente de Géminis, pero los celos provocan interminables conflictos entre ambos.

GEMINIS: La libertad es privilegio del hombre, pero la mujer también la quiere... Una relación sentimental puede resultar difícil, claro dependerá de su educación. Sexualmente unión impredecible, puede ser maravillosa o en extremo conflictiva... En los negocios obtendrán cuanto deseen y aún más de lo imaginado... Jamás se reprocharán nada cuando sean amigos.

CANCER: Escasa armonía durante la juventud sobre todo en el terreno amoroso, después de los 35 años Cáncer cederá y disculpará la inquietud de su compañero. En el sexo hay afinidad debido a la ternura del cangrejo. En espíritu, son compatibles, no así en los negocios...

LEO: Ambos admiran sus cualidades e inteligencia, pero el respeto se acaba cuando insisten en iniciar una relación amorosa donde la pasión no existe y más por el afán de posesión que tiene

Leo provoca la huída de Géminis. Magnífica relación para comprenderse intelectualmente, triunfar en los negocios y divertirse tanto en las reuniones sociales como en los viajes.

VIRGO: Amigo para toda la vida puede revelarle sus secretos y él le aconsejará lo más conveniente a sus intereses... En lo sentimental puede ser una relación conflictiva de un Virgo estable y un gemelo totalmente opuesto que, sin mayores explicaciones, abandone a su compañero, demasiados sufrimientos en la relación; aunque Géminis procurará seducir al otro nativo porque le atrae la idea de tener quien organice su vida... Excelente combinación para viajes y negocios.

LIBRA: Buscan comprenderse en todos los aspectos; especialmente en el plano sentimental donde ambos procuran respetar su libertad, para ser la pareja ideal, requieren comprender sus mutuos estados de ánimo que suelen cambiar con frecuencia... En el aspecto sexual viven un tórrido idilio... Conveniente para negocios, viajes y amistades duraderas...

ESCORPION: Difícil en el aspecto sentimental... Uno libre y el otro en extremo posesivo, físicamente surge una atracción fuerte pero al paso del tiempo es efímera. A menos que el celoso Géminis acepte su forma de ser. Intelectualmente se comprenden de maravilla porque ambos buscan el sentido filosófico de la vida. Excelente para viajes, negocios y reuniones de tipo social.

SAGITARIO: Relación con cierto grado de dificultad. Ambos procuran respetar su libertad, pero sucede algo especial entre ellos: se aceptan por completo desde el principio o se rechazan; nos referimos al aspecto sentimental. Como amigos deben respetar su forma de actuar, la que muchas veces el arquero, etiquetará como "imprudente". El comentario provoca la ira del agresivo gemelo y comienza una especie de canibalismo... Magnífica para viajar, en el trabajo, pero nunca para los negocios donde tienen conceptos diferentes...

CAPRICORNIO: Ambos complementan sus ambiciones económicas, uno aporta el arduo trabajo y el otro la surte para los negocios y desde luego su inteligencia, en este campo es una pareja digna de elogio... En cuanto al amor y el aspecto sexual en realidad no hay mucho que decir, porque tienen diferentes conceptos; sería una relación fría y, lamentablemente, destinada al fracaso.

ACUARIO: Cuando se conozcan deben establecer las bases de su relación, porque se trata de la pareja ideal debido a su gran afinidad; corren el riesgo de ser sólo amigos cuando podrían casarse y como en los cuentos de hadas: ''ser muy felices para toda la vida''... Respetan sus mutuos ideales y les agrada crecer juntos, pero con su propia libertad... Sexualmente hay compatibilidad, pero ambos deben aprender a ser más apasionados... Relación perfecta en los negocios, los viajes y cualquier tipo de comunicación.

PISCIS: Espiritualmente se identifican en un 85 por ciento lo cual da por resultado una buena amistad... A esta pareja se les recomienda evitar una relación amorosa, porque tienen conceptos diametralmente opuestos y el más perjudicado en el juego amoroso sería el atormentado pescadito quien, difícilmente, entiende al ''libertino'' Géminis... Combinación adecuada para trabajo artístico, pero jamás en los negocios... También es muy exitosa en los estudios y los viajes de aprendizaje.

CANCER Y SU RELACION CON LOS OTROS SIGNOS

ARIES: Si en realidad desean conservar una amistad deben aprender a ceder mutuamente, porque existe el riesgo de lanzarse dardos cargados de veneno... Como pareja tienen en común el amor hacia la familia, pero en este renglón podría ser una relación un tanto conflictiva ya que, uno y otro defenderían su propio punto de vista... Sexualmente hay compatibilidad, pero deben dominar los celos... En cuanto a los negocios, el trabajo y los estudios es una pareja muy unida...

TAURO: Están capacitados para trazar metas y alcanzarlas juntos. Les fascina progresar... Al tímido cangrejo le parece muy difícil comunicarse, pero el toro le da la fuerza necesaria para vencer sus temores... En el amor muestran sus verdaderos sentimientos; aman el hogar y disfrutan su relación, mejor aún cuando tienen hijos... Ambos prefieren la comodidad; podrían calificarse como verdaderos sibaritas. Deben aprender a evitar los pleitos fuertes, porque ocasionarían una verdadera tormenta... En el trabajo son afines, como también en los estudios.

GEMINIS: Existe comunicación mental entre ellos, pero cuando deciden iniciar una relación amorosa tiene escasas posibilidades de éxito, hecho atribuible a su inestabilidad emocional... En las empresas de trabajo o financieras tienen un 75% de probabilidades, solamente que ambos deben aprender a ser francos para evitar los malos entendidos. Favorable en los estudios, porque Géminis le da nuevas perspectivas, descubiertas por su curiosidad nata... Sexualmente hay afinidad, pero el cangrejo intentará apoderarse del gemelo, lo cual sabemos resulta imposible.

CANCER: En el aspecto amoroso alguno tendrá que ceder. Ardua tarea para la mujer, porque el hombre difícilmente cambiará de actitud... Al unirse dicha pareja cambia notablemente su forma de ser, porque uno se muestra violento y la otra caprichosa –o viceversa– entonces surge la guerra, misma que termina misteriosamente; secreto que sólo compete a los implicados en el drama; es una relación llena de misterio de la cual ambos pueden obtener una enseñanza. Combinación difícil en los negocios porque tienden a la contradicción, pero su amistad será duradera.

LEO: Relación favorable, siempre y cuando aprendan a respetar sus respectivos dominios, para así evitar problemas de mando... En el amor procuran la sutileza y el romanticismo, pero necesitan olvidar su ego y entregarse por completo. Si desean unirse y tener éxito ambos deben estar emocionalmente maduros. Sociedad muy favorecida en: negocios, viajes y estudios.

VIRGO: Atracción desde el punto de vista intelectual y magnífica para los negocios, en este campo ambos pueden llegar muy lejos, porque sabrán combinar la inteligencia con el orden y la sutileza... En el amor existe poca atracción, pero en caso de prender alguna chispa la relación no sería duradera, atribuible al exagerado orden de Virgo y al clásico desorden canceriano. Sexualmente no hay mucha comunicación, Virgo tiende a herir la susceptibilidad de su compañero, simplemente se trata de maneras distintas de amar...

LIBRA: Después de los cuarenta años ambos podrían entenderse perfectamente bien, incluso alcanzarían el calificativo de ser la pareja ideal, claro mientras no discutan sobre el arte ya que difieren en cuanto a sus conceptos sobre la estética... En el aspecto sexual contribuye una relación fuerte y apasionada, porque Libra tiende a despertar la sensualidad de Cáncer... Armonía en los negocios, el estudio y los viajes. Amistad leal y duradera.

ESCORPION: Magníficos compañeros en las reuniones sociales y en las actividades laborales. Asímismo en los estudios y en las sociedades financieras, porque el Escorpión es más agresivo y directo en los negocios, incluso, inyecta su energía, valor y seguridad al cangrejo... Sexualmente hay una gran empatía, pero fulminan la pasión con frecuentes agresiones surgidas por ambas partes... Solamente una gran comprensión les salvaría de una relación tormentosa y esta última empieza cuando terminan de hacer el amor...

SAGITARIO: Se ayudarán mutuamente para alcanzar sus ideales por lo cual pueden asociarse tanto en los negocios como en el amor, pero si desean una relación duradera requieren madurez espiritual y física. El arquero, debe cuidar de no herir al susceptible cangrejo quien no le perdonará una agresión, le llevará toda la vida borrarla completamente de su memoria... En el aspecto sexual no son muy apasionados, pero la atracción física surge debido a su entendimiento intelectual, hecho que les ayuda a seguir juntos...

CAPRICORNIO: Relación adecuada para estudiar y compartir la responsabilidad de un trabajo... También pueden ser amigos leales y conservar una amistad duradera. Respecto a los negocios ambos tienen puntos de vista totalmente opuestos; Capricornio en este aspecto sabe muy bien como actuar y acusará al canceriano de endeble y falto de visión comercial. Sexualmente la compatibilidad es nula, es muy difícil que llegaran a acoplarse...

ACUARIO: Relación muy complicada en todos los aspectos, pero ambos la establecen desde las primeras frases intercambiadas. En este caso se requiere el ascendente de los dos para descifrar con certeza el tipo de asociación conveniente... Seamos explícitos, entre el cangrejo y el aguador nace una afinidad ideal o un rechazo absoluto y la mencionada situación se presenta tanto en los estudios como en el trabajo; el amor o el aspecto sexual...

PISCIS: Relación tormentosa y extraña... Se comprenden maravillosamente, incluso no es difícil que se adivinen el pensamiento lo cual se justifica por su hipersensibilidad e indiscutibles dotes síquicas... En el amor lo sacrifican todo en aras de su felicidad. Buscan la comunicación espiritual y en este renglón es justo señalar que tal hecho podría contribuir a la pérdida de su comunicación sexual. Como pareja deben aprender a no decaer emocionalmente y apoyarse en los momentos difíciles, pero uno de los dos debe ser más fuerte... Relación adecuada, para la amistad, los estudios y el trabajo.

LEO Y SU RELACION CON LOS OTROS SIGNOS

ARIES: Ambos son líderes, tanto en la vida como en el zodiaco. Cuando los dos alcancen la madurez, obviamente respetarán uno a otro su forma de ser y no intentarán dominarse... En el amor son muy apasionados y tienen el 90% de posibilidades de alcanzar una relación estable y llevadera. Respecto al 10% restante sería conveniente advertir que requieren hacer un gran esfuerzo para evitar las peleas, que enfriarían su relación sentimental... Sexualmente se presenta una gran atracción, pero deben huir de los celos. Pareja ideal en: negocios, viajes y estudios de cualquier índole, pues debido a su indiscutible inteligencia pueden descubrir aspectos muy interesantes de su personalidad...

TAURO: Comparten intereses comunes: les agrada recibir gente en su casa, respetan las tradiciones familiares y cuidan a sus hijos con verdadera dedicación, pero... El toro debe aprender a ser paciente con los arranques felinos y sobre todo hacer lo imposible por comprender la sensibilidad de su pareja la cual a su juicio sería un tanto complicada... Relación adecuada para los negocios y las actividades laborales. Sexualmente son bastante compatibles y podrían disfrutar de una relación feliz.

GEMINIS: Demasiado tormentosa, en el amor equivaldría a revolver el aceite con el agua. Analicemos Leo, amante de la familia y del hogar, mientras Géminis vive la constante búsqueda existencial y lo hace precisamente fuera de su casa. Huelga señalar las consecuencias desastrosas de la relación... En lo sexual, no hay compatibilidad posible... Respecto a los negocios es maravillosa porque ambos persiguen los mismos objetivos. Pareja adecuada para el trabajo y la amistad.

CANCER: Relación ideal para retroalimentarse de conocimientos, ambos poseen sensibilidad semejante... Leo imprime valor y fuerza al nativo de Cáncer quien respeta su forma de ser y aun cuando le moleste el dominio felino, lo acepta con inteligencia. En el terreno amoroso lo anteriormente descrito puede ser contraproducente, porque al final el león se cansaría del tímido cangrejo. Pareja compatible para las reuniones sociales, de trabajo y amistosas...

LEO: Cuando estén dispuestos a ceder, podría ser una combinación ideal. En caso de surgir enfrentamiento alguno de los dos requiere flexibilidad. Asimismo, necesitan conservar el respeto y la admiración mutua porque en cuanto les falte alguna de las cosas señaladas, pelearán sin tregua hasta destrozar su relación amorosa, pero esto también compete a los negocios la amistad y los viajes.

VIRGO: En el amor sería una relación conflictiva, porque tienen sensibilidades literalmente opuestas... Leo aparece como derrochador, vanidoso y superficial a su vez el león acusa a su pareja de: calculadora, fría y meticulosa... Sin embargo, en los negocios hay una gran afinidad, la mente analítica de Virgo combinada con la sed de éxito felina dan por resultado grandes empresas financieras. Sexualmente no hay compatibilidad alguna.

LIBRA: Después de los treinta años existe una gran posibilidad de alcanzar una relación amorosa, duradera, aunque básicamente dependerá de la madurez de Libra... Entre ambos surge gran afinidad espiritual y enormes deseos de alcanzar estabilidad socioeconómica. Sexualmente, despiertan su sensualidad y procuran una relación leal, ésta por lo general es satisfactoria, pero sobretodo duradera... Pareja conveniente para los estudios, los viajes y las reuniones. Advertencia, Leo debe aprender a controlar su carácter dominante.

ESCORPION: Esta combinación debería pensarse sólo desde el punto de vista comercial, social o amistosa, pero en el amor sería prácticamente imposible. El coqueto Escorpión aguijoneará con celos al león que reacciona con violencia frente al desacato... Para el felino es inadmisible dicho comportamiento y se cuestionará una y mil veces el motivo de su fallo. Tal vez logre vencer su orgullo, entonces querrá preguntar la causa de la agresión, pero no encontrará una respuesta satisfactoria... En verdad trátase de una relación muy conflictiva.

SAGITARIO: Buscarán la forma de evadir las confrontaciones, porque ambos conocen perfectamente su temperamento. En el aspecto amoroso el arquero debe aprender a dar explicaciones, sobre todo cuando se aleje de Leo. Sexualmente se atraen, porque tienen las mismas inquietudes. Relación afortunada en los negocios, en la amistad, pero sobre todo en el campo de la investigación como puede ser el periodismo y la abogacía.

CAPRICORNIO: Relación bastante complicada en todos los sentidos, pero analicémosla... Ambos poseen carácter fuerte, discuten a cada momento por nimiedades. Leo concede gran importancia a los lujos que asustan a Capricornio, pues los juzga innecesarios, como se podrá observar tienen diferente apreciación de la vida y ello les ocasionaría problemas. Tampoco es aconsejable una relación en los negocios, pero si aprenden a respetar su forma de actuar lograrían ser amigos.

ACUARIO: Amistad duradera. Se complementan bien, porque se equilibran, el león se regocija con las aventuras del aguador, le atrae su espíritu aventurero, quizás piensa íntimamente que le gustaría hacer lo mismo aunque cuando se trate de una relación amorosa el concepto dará un giro de 180° y comienzan las batallas, porque lo que era gracia, se convierte en defecto e inestabilidad. Sexualmente Acuario satisface a Leo, pero al final le acusa de egoísta y se aleja sin conceder la más breve explicación.

PISCIS: Combinación propicia en los negocios, los estudios y la amistad, pero en el orden sentimental sería una relación adversa, ya que: Piscis vive continuamente atormentado con sus problemas existenciales, pese a lo anterior no hay discrepancias fuertes... Curiosamente con el tiempo el atormentado pez acusará al león de egoísta, aburrido y superficial. En lo sexual podría surgir atracción, pero resultaría efímera...

VIRGO Y SU RELACION CON OTROS SIGNOS

ARIES: En el amor es una relación muy conflictiva. Como tienen diferente manera de pensar se establece una lucha entre ambos basada en la razón contra la impulsividad ariana... Sexualmente sienten una gran atracción, pero no es duradera... Esta pareja puede llevar relaciones amistosas y comerciales, sobre todo financieras, porque mezclan el orden con el talento de Aries para triunfar económicamente.

TAURO: Relación adecuada para cualquier tipo de actividad, pero desde luego en el amor... Aun cuando Tauro sea impulsivo y su compañero analítico procuran respetarse... Sexualmente se atraen e integran una relación duradera y estable... Como amigos, Virgo se puede desesperar ante la terquedad del toro, pero al final le aceptará con su defecto ya que le concede mayor importancia a su capacidad y entrega para el trabajo... En fin, desde cualquier ángulo integran una pareja ideal...

GEMINIS: Una verdadera labor titánica para Virgo, tienen puntos de vista diametralmente opuestos, se entabla una guerra fría porque ambos contendientes analizan el campo de batalla. Cuando la virgen cede ante los caprichos de su inestable amigo, pudiera –sentido solamente figurado–, surgir algún entendimiento entre ambos; pero el caso se daría sólo en los negocios y en los proyectos de viajes, estudios y amistad... Sexualmente son incompatibles.

CANCER: Ambos son tímidos... La vírgen siente compasión fraternal hacia el cangrejo a quien considera desvalido e inestable... Intenta ordenarle la vida y es ahí donde pudieran surgir los conflictos; Virgo tiene los pies bien plantados sobre la tierra en tanto que Cáncer con frecuencia sueña despierto y generalmente le molesta que le ubiquen en la realidad; pero ello no le impide sentirse atraído por el orden y la aparente seguridad de su compañero –sabemos que íntimamente Virgo es tímido. Con un poco de voluntad podria surgir una relación amorosa estable, siempre y cuando la vírgen no hiera la susceptibilidad de su compañero... Relación maravillosa en los estudios, actividades de tipo social y amistosas...

LEO: Las relaciones comerciales y de índole social están maravillosamente aspectadas... En lo sentimental equivale a empeñarse en mezclar el fuego con el agua, imposible ¿verdad? Ninguno querrá ceder ante las exigencias propias de su carácter; la virgen busca la paz y la tranquilidad mientras que el león desea tener amigos en la casa para recibir halagos, los que a Virgo le son innecesarios. Sería una pareja muy conflictiva... Sexualmente trátase de una relación intensa y apasionada acompañada de todo género de dramas, pero además será una aventura pasajera y dolorosa para los dos...

VIRGO: Es muy difícil que lleven una relación sentimental. En este caso ambos tienen las mismas inquietudes, son analíticos ordenados; paradójicamente no congenian, hecho atribuible precisamente a la semejanza de su carácter. En el aspecto sexual ninguno desea tomar la iniciativa y conviven como dos hermanos enmedio de una relación fría... Pueden ser socios, amigos, compañeros de estudios y de viajes, nada más en dichas circunstancias podrán llevarse bien...

LIBRA: Durante la madurez puede ser una relación ideal, veamos la virgen desea estabilidad, pero Libra se divierte fuera de casa; no obstante cede, analiza su comportamiento, y no encuentra falla alguna, le expone el hecho a su compañera, quien le acusa de insensible. Virgo lo toma en cuenta e intenta adaptarse a las exigencias por lo anterior se da en una relación madura de lo contrario Virgo atentará contra la libertad de la otra persona. Le exigirá tanto, que llegará a provocar su alejamiento espiritual y físico, aun cuando habiten en la misma casa, la que Libra no dejará con facilidad porque después de todo han intentado centrarle y no puede abandonar a la familia. ¿Extraña relación, verdad? Sensacional para los negocios y las cuestiones domésticas...

ESCORPION: Físicamente surge una atracción demasiado fuerte sobre todo en el aspecto sexual... Ambos se analizan cuidadosamente no quieren dañarse, pero lo que intentaron evitar, sucede... Virgo se desespera ante el desordenado Escorpión y este lo acusa de frío e insensible, en síntesis, se trata de una relación amorosa destinada al fracaso; solo un gran esfuerzo y desde luego un gran amor le salvaría... En el terreno económico, amistoso y de estudios alcanzarán un buen nivel de compatibilidad...

SAGITARIO: En el amor podrían vivir un romance breve y tormentoso, hecho atribuible a la disparidad de sus caracteres. Cada uno querrá tener la razón, pero además ''encontrarán'' la forma de herir sus respectivas susceptibilidades... Esta puede ser una agradable relación amistosa en la que Sagitario disfrutará el fino sentido humorístico de su compañero... Combinación perfecta para viajar, ambos aportarían información interesante y desde luego en las investigaciones o estudios...

CAPRICORNIO: Gran posibilidad de ser la pareja ideal en cualquier aspecto de la vida, pero ambos deben aprender a ceder. Analícemos las perspectivas: la cabra desea tener siempre la razón, la virgen en principio esta dispuesta a condescender ante los caprichos, pero un día se puede cansar y con inimaginable frialdad se alejará y no habrá poder humano que le haga desistir en su determinación, la cual analizó por largo tiempo... Capricornio debe valorar el buen carácter de la otra persona quien le ayudará, sin duda, a quitarse la solemnidad... Combinación magnífica para los negocios donde para triunfar se reúnen varios elementos: la perseverancia, el trabajo, la inteligencia y la suerte de ambos para atraer el dinero...

ACUARIO: Relación complicada y falta de entendimiento por ambas partes... Acuario prefiere disfrutar su libertad y no está dispuesto a sacrificarla bajo ninguna circunstancia. Sentiría una fuerte presión y comenzaría la batalla. Bueno esto es en lo que respecta al sentido amoroso... Sexualmente, no sienten atracción y en caso de surgir no pasaría de ser una aventura. Como amigos tienen afinidad emocional y rara vez discuten... Virgo aprende a aceptar las frecuentes distracciones de su compañero. Relación conveniente para trabajar, estudiar y viajar.

PISCIS: Se comprenden espiritual y sexualmente, pero tienden a vivir una relación sadomasoquista... El pez desea nadar y mientras lo hace sueña e idealiza cuanto le rodea. La virgen le detiene para señalar las faltas y pedirle que regrese a la realidad, lo que significa un verdadero insulto para él, que siente que agreden su inteligencia, su sensibilidad pero sobre todo su libertad... Cuando deciden unirse sentimentalmente nace en ambos una relación odio-amor... Sin embargo como amigos llevan una excelente comunicación en la que combinan la sensibilidad con el frío análisis de Virgo, pero con dicha fórmula obtienen magníficos resultados.

LIBRA Y SU RELACION CON LOS OTROS SIGNOS

ARIES: Desde el punto de vista sentimental, ambos se agreden, extrañados de su reacción la analizan, pero no encuentran el motivo; aparentemente respetan su forma de ser más libre que el viento, sin embargo uno de los dos resulta herido y no está dispuesto a olvidar la afrenta de la otra persona. Unión poco recomendable para los negocios. Conveniente para estudiar y viajar.

TAURO: Ambos respetan sus puntos de vista, disfrutan la vida y procuran llevarla pacíficamente... En el amor evitan las confrontaciones. Sexualmente son apasionados, procuran una relación centrada; pese a las inquietudes de Libra quien toma ejemplo de la estabilidad del toro... Magnífica para los negocios, porque apoyan conjuntamente sus proyectos. En los viajes, Libra le muestra aspectos desconocidos a su compañero.

GEMINIS: Esta pareja tiene grandes posibilidades de éxito tanto en el amor como en los negocios. Intelectualmente poseen intereses comunes y ese es el punto más importante en su relación. Respetan la libertad; se encuentran sin dar explicación de su comportamiento, evitan las escenas de celos; tienen plena confianza en su relación. En los negocios, Géminis le ayuda a ganar verdaderas fortunas. Pareja ideal y venturosa.

CANCER: Cuando se reúnen para realizar negocios o viajes, puede resultar una pareja exitosa. Libra mostrará al cangrejo algunos secretos para salir adelante. El cangrejo admira su habilidad y carisma. En el al terreno amoroso la relación sería francamente imposible; difieren en sus puntos de vista, porque su manera de amar es radicalmente opuesta: el cangrejo desea esconderse en la arena y la balanza deseará sortear los problemas de la vida, pero... Lógicamente, fuera de casa. Sexualmente las ideas sensuales de Libra atemorizan al tímido canceriano.

LEO: Relación adecuada para los negocios, los viajes y alcanzar la fama juntos... Intelectualmente, respetan sus ideas; el majestuoso león está dispuesto a mejorar cualquiera de estas, les da forma y obliga a su compañero a afectuar sus planes; cuando surge alguna inseguridad librana, Leo, lo fortifica e infunde el suficiente ánimo para triunfar... Sexualmente se atraen, pero con el tiempo anteponen su relación espiritual a la física; terminan por ser muy buenos amigos. Combinación adecuada en los negocios y las reuniones de tipo social.

VIRGO: Cuando estos nativos se reúnen alcanzan objetivos insospechados, especialmente en el trabajo y las finanzas. Libra protege a la virgen porque ejerce sobre él una atracción misteriosa. También admira su mente analítica y buen juicio. En el amor se identifican, pero Libra provoca el enfriamiento de las relaciones debido a sus constantes alejamientos. Cuando tienen hijos, difícilmente se divorcian y terminarán por hacer cada uno su vida, aunque paradójicamente permanezcan dentro de la misma casa la cual estará siempre a cargo de Virgo.

LIBRA: Relación con alto grado de dificultad, en este caso se requiere basar el pronóstico en los ascendentes, porque corren el riesgo de llevar una relación sentimental de amor-odio. Tendencia a discutir por nimiedades, pero con violencia y esta precisamente les conduciría al fracaso... Podrían ser felices siempre y cuando ambos aprendieran a respetarse y desde luego a evitar los engaños. Respecto a los negocios, también deben anteponer la honestidad para tener éxito financiero. Relación indicada para viajar y en los estudios...

ESCORPION: Se complementan maravillosamente; en los negocios el Escorpión no teme aconsejar a su compañero, quien debe poner sus cinco sentidos en las advertencias financieras... Libra, carece de visión comercial, pero rápidamente asimila la enseñanza y se beneficia con la unión; obviamente siempre que esté dispuesto a dejarse guiar. En el aspecto sexual, logran complementarse, incluso se atraen poderosamente, porque ambos son muy sensuales... A Libra corresponde no provocar los celos de su pareja y darle la atención requerida, de lo contrario se convertiría en una relación destructiva, ambos deben evitar los altercados violentos.

SAGITARIO: Pareja idónea para viajar y mejorar en las finanzas. Libra respeta la independencia de su compañero, pero también admira su inteligencia y sentido humorístico. En el amor ambos aportarán conocimientos, situación altamente benéfica para gozar de una relación duradera. Sexualmente son afines y les atrae la fidelidad... Unicamente se les recomienda cuidar las palabras para no herir sus respectivas sensibilidades...

CAPRICORNIO: De acuerdo con la sensibilidad librana, habrá que hacer algunas concesiones, por ejemplo establecer su residencia; evitar sus clásicas aventuras amorosas... La cabra no admite el engaño y la falta de madurez; trátese de una amistad o de una persona sentimentalmente ligada a ella... Esta pareja tiene en común el gusto hacia el lujo. Libra posee la palabra sensual que despierta el interés sexual de Capricornio... Algunas veces tendrá que soportar los caprichos, pero a cambio de ello gozará de una relación estable y con grandes perspectivas económicas...

ACUARIO: Comunicación primaria, seamos explícitos... Desde el punto de vista sexual se complementan maravillosamente; se buscan y después se alejan, atribuible a su amor hacia la libertad, ambos se consideran incapaces de llevar una relación estable en el amor... Como amigos su estado es perfecto, respetan sus puntos de vista porque evitan las confrontaciones... Pareja idónea para viajar, estudiar y emprender negocios...

PISCIS: Si desea buscar un amigo que comprenda sus inquietudes y le ayude a resolver cualquier problema, no le busque más, el pez está dispuesto a salvarle en cualquier circunstancia adversa. En el amor sería una relación problemática debido a las crisis existenciales piscianas, Libra no concibe los dramas y menos aún soporta dar explicaciones de su comportamiento. Sexualmente tampoco es una relación duradera. Recomendable para viajar, divertirse y para efectuar planes a futuro…

ESCORPION Y SU RELACION CON LOS OTROS SIGNOS

ARIES: La afinidad entre estos nativos es magnífica, tienen intereses comunes, son creativos y amantes de la perfección. En el amor son intensos, apasionados y antes de entablar una discusión lo piensan bien, debido a que conocen perfectamente las consecuencias de un pleito... Se apoyan en los momentos difíciles, pero el carnero debe aprender a no provocar, demasiado los celos de la otra persona, de lo contrario ambos coquetearían y se entablaría una lucha poco recomendable cargada de celos y dramatismo que quizás la guardarían en secreto, porque difícilmente aceptarían sus faltas, cuestión de orgullo simplemente. En caso de surgir tal situación, permanecerían juntos porque en ambos prevalece el aspecto sexual y ahí son expertos en adaptarse... Se afirma que la relación entre ellos es kármica y por eso, Escorpión le debe algo al carnero. Pareja idónea, en el trabajo, los negocios y los estudios...

TAURO: Relación con alto grado de dificultad... En el amor entablan una lucha tormentosa, ambos son posesivos y celosos. El simpático toro divierte con su gracia al Escorpión lo cual en principio es simpático para él, después le acusa de simple y comienza a aguijonearle abiertamente... Intentan arreglar sus conflictos; hacen el amor para olvidar momentáneamente sus diferencias, pero finalmente terminan alejándose. Relación adecuada para los negocios donde crecen enormemente. Idónea en actividades artísticas, porque tienen puntos de vista en común...

GEMINIS: Cuando se reúnen para filosofar no hay quien comprenda sus conversaciones, profundizan y analizan cada uno de sus conceptos. Lo mismo sucede en los estudios. Cuando deciden viajar juntos aumentan sus conocimientos, todo ello debido a su curiosidad, la cual se alimenta de investigaciones que ambos comparten sin egoísmo... En el aspecto sexual y amoroso tienen una relación apasionada, pero... Escorpión hará lo imposible por quitarle libertad a su compañero, a menos que sea lo suficiente maduro para aceptar las inquietudes geminianas, podría surgir una relación duradera, pero aun así deben evitar las escenas de celos. Excelente combinación para los negocios...

CANCER: Combinación indicada para los negocios, actividades laborales y los estudios. En el amor, se convierten en una pareja conflictiva porque el cangrejo despierta en el Escorpión pasiones insospechadas que abarcan desde la posesión, hasta la violencia, rematada con insultos, motivos altamente poderosos para destruir la relación... Combinan perfectamente en el trabajo, las actividades sociales y los estudios filosóficos o de ocultismo.

LEO: Comunicación mental y físicamente muy apasionada, sobresaliendo esta última... Pese a su majestuosidad el león teme a los aguijonazos del otro, sobre todo en materia de celos. Lo piensa muy bien y prefiere una buena amistad, aun cuando le resulte difícil olvidar los momentos placenteros. Relación adecuada en los negocios, actividades laborales y los estudios.

VIRGO: En el amor se comunican adecuadamente. El Escorpión disfruta del sentido humorístico, propio de la virgen pero deben basar la unión en la sinceridad, porque el mínimo engaño sería detectado y terminarían un romance que podría ser ideal. Sexualmente se acoplan, porque en Virgo despiertan pasiones dormidas. Magníficos compañeros de fiestas, negocios, estudios y viajes...

LIBRA: La comprensión juega un papel determinante en esta pareja, dependerá de la madurez de ambos, especialmente durante las inexplicables ausencias de Libra. En lo sexual es una relación muy apasionada e intensa como le gusta a Escorpión y precisamente tales características podrían causarles una fuerte tormenta... En el plano amistoso, admiran sus mutuas proezas.

Relación magnífica para las actividades financieras, policíacas y de estudios.

ESCORPION: Puede ser la combinación perfecta. Comúnmente se enamoran a primera vista y poco tiempo después de tratarse, convienen en contraer matrimonio... Lo anterior suena perfecto, siempre y cuando posean la suficiente madurez emocional para evitar las mutuas agresiones. Recordemos: el Escorpión destruye lo que ama. Sexualmente se acoplan desde el principio y vaya que les atrae el aspecto físico. Combinación indicada para la amistad, los negocios y los viajes...

SAGITARIO: El arquero sorprende al Escorpión con su mejor arma: la inteligencia, pero jamás debe usar su arco y flecha para lastimar a su pareja, porque daría pauta a una lucha sin tregua en la que ambos perderían la batalla... Sexualmente se atraen, siempre y cuando no lleven sus conflictos a la alcoba. Relación adecuada para las finanzas y las reuniones sociales, en dichas actividades pueden surgir problemas menores, pero los superan fácilmente debido al respeto y admiración que se profesan.

CAPRICORNIO: Relación sexual muy fuerte y en el amor hay un 95% de posibilidades de acoplamiento. Tienen intereses semejantes; desean progresar económicamente; les agrada el hogar, cuando surge un problema siempre hay uno que cede. La cabra debe evitar sus dramas cuando el Escorpión no ceda ante sus caprichos– porque surgiría una necedad inenarrable que podría finiquitar la relación. En los negocios y la amistad ambos deben ser leales y encarar los problemas de común acuerdo. Pareja ideal en los viajes y las diversiones.

ACUARIO: Relación adecuada para llevar una interesante y divertida amistad pero no es jamás recomendable para el amor, porque Escorpión se niega a comprender la informalidad y la desubicación de su compañero, a menos que el aguador le dé pormenores de su comportamiento, lo cual sería prácticamente imposible. Físicamente se acoplan y pueden vivir un tórrido e inolvidable idilio, pero definitivamente de poca duración a menos que Acuario tenga ascendente en Virgo o Capricornio y el Escorpión en Géminis o Piscis... Unión ideal para negocios, viajes y reuniones sociales.

PISCIS: Después de los 35 años podrían ser la pareja ideal... Debido a sus dotes psíquicas e intelectuales armonizan, pero ambos tienden a deprimirse fácilmente. El Escorpión observa al pez; cuando intuye sus conflictos internos le infunde ánimo; pero le saca de quicio cuando no agradece su comprensión. Cuando ésta pareja carece de madurez emocional surgen conflictos causados por los celos. Sexualmente se atraen y alcanzan el acoplamiento perfecto, pero su pasión tiende a desfallecer cuando se agreden. Combinación adecuada para las actividades filosóficas y artísticas, asimismo para conservar una gran amistad.

SAGITARIO Y SU RELACION CON LOS OTROS SIGNOS

ARIES: Afines en muchos aspectos, pero deben marcar sus lineamientos, porque tienden a herirse mutuamente, especialmente con la palabra; cuando ello sucede provocan un verdadero torbellino a su alrededor. Sentimentalmente logran comunicarse, pero deben huir de las complicaciones y los celos. Pese a su fortaleza y empuje, el carnero teme ser herido por la flecha del arquero; guarda distancia, pero jamás debe olvidar la posibilidad de ser agredido en el futuro. Sexualmente se atraen, pero requieren una fidelidad a prueba de cualquier tentación para mantener una relación estable. Pareja ideal en los negocios, las actividades artísticas, los viajes y desde luego para fomentar una amistad duradera...

TAURO: Para ser buenos amigos, deben alejar las discusiones de cualquier índole... El toro respeta la flecha del arquero, pero extrañamente la provoca. Cuando desafía a su compañero sale mal herido, pero se encasta ciegamente; afronta las consecuencias de su reto del que obviamente sale lastimado y este ejemplo funciona tanto en el amor como en la amistad. Tienen el éxito asegurado en los negocios. Basan el triunfo en su capacidad de trabajo e ideas progresistas.

GEMINIS: Para obtener su pronóstico más exacto deben conocer sus respectivos ascendentes, porque se odian o aceptan y dicho fenómeno se presenta en cualquier circunstancia de su vida. En este caso se debe checar la compatibilidad de acuerdo a lo anteriormente expuesto.

CANCER: Defienden sus ideales, porque intelectualmente comprenden sus inquietudes, pero en el terreno amoroso es una relación inconveniente debido a sus caracteres opuestos, aunque tienen en común el amor a la familia, pero generalmente el arquero se compromete hasta que ha madurado, de ahí que muchos nativos permanezcan solteros. Sexualmente llevan una relación intensa, pero breve. Pareja ideal para triunfar, en el arte, la política y profundizar en cualquier género de estudios.

LEO: Si desean establecer una relación sentimental duradera, deben ceder en su carácter el cual a decir verdad, es fuerte y hasta un poco agresivo... El arquero siempre huye de las personas dominantes; si se encuentra al león que exige explicaciones acerca de su comportamiento, empieza la batalla hiriéndose violentamente. ¡Nunca termina! están dispuestos a llevarla toda una vida... Por lo anteriormente expuesto esta pareja debe iluminarse de paciencia con el fin de evitar las confrontaciones serias; una vez superadas conocerán la verdadera felicidad. Combinación adecuada para viajes de investigación o de recreo, y estudios...

VIRGO: Cuando se reúnen para alcanzar objetivos comunes llegan a la cúspide, pues juntan el orden, la inteligencia y la honestidad, ingredientes necesarios para obtener el éxito, sobre todo en los negocios y para triunfar socialmente. En el aspecto amoroso, aparentemente, se comunican pero al paso del tiempo descubren la escasa compatibilidad que hay en sus vidas. En la físico no hay afinidad, pues se atraen muy poco... Pareja adecuada para cultivar una amistad duradera.

LIBRA: En el aspecto amoroso mantienen una relación difícil, especialmente cuando discuten; vaya que puede convertirse en su actividad ¡favorita! Ambos desean la libertad que puede derivar en libertinaje; no se adaptan y sexualmente les falta mucha comunicación. Si desean llevar una bonita amistad pueden lograrla. Combinación adecuada para el trabajo, los negocios, las actividades artísticas y la política.

ESCORPION: En el amor, difícil, más no imposible, únicamente deben aprender a no herirse y respetar sus actividades. Intelectualmente se comprenden... El Escorpión solicita los sabios consejos del arquero, pero cuando los desobedece provoca la ira de su compañero quien le acusa de necio e irresponsable y decide aguijonear porque su orgullo le impide aceptar sus errores. La consecuencia lógica de la contienda es que ambos pierden la batalla. Combinación propicia en los negocios y las actividades laborales.

SAGITARIO: Esta pareja debe evitar una relación amorosa para no destruirse... Sexualmente trátase de una combinación explosiva, pero así como llega el fuego, se encargan de extinguirlo con enojos obviamente cargados de palabras hirientes y algunos flirteos estos últimos, sólo para demostrarse lo afortunados que pueden ser en el amor... Pareja adecuada para la política, la abogacía, la literatura y las actividades artísticas, pero desde luego para conservar una buena amistad.

CAPRICORNIO: Combinación adecuada para los negocios, Capricornio aporta su tenacidad y Sagitario, visión e inteligencia, lo mismo sucede en los estudios, siempre y cuando respeten los límites amistosos. Sentimentalmente pueden surgir fuertes problemas debido a la impulsividad de la cabra quien se empeña en competir con el arquero, lo que molesta a este último, por lo que en represalia, lanza sus flechas envenenadas para herirla mortalmente... En el sexo no hay compatibilidad y corren el riesgo de entablar una relación meramente superficial.

ACUARIO: Entienden el sentido de la palabra libertad. Intentan comprenderse, después de algún tiempo logran compenetrarse. Persiguen los mismos intereses hacia la literatura, el trabajo y comparten sus inquietudes filosóficas; llegan a cultivar una amistad indestructible. Sentimentalmente, aunque parezca increible, endulzan su relación con toneladas de azúcar, pero un buen día se percatan de que no pueden ser la pareja ideal, confundierón la afinidad mental con el amor y la pasión sexual. Grandes posibilidades de convertirse en amigos inseparables...

PISCIS: Difícilmente se atraen en el amor, pero cuando se da la relación puede ser altamente complicada... Sagitario con su arco y flecha lanza dardos venenosos por la boca y hiere al pez en lo más profundo de su ser. En lo sexual tampoco hay compatibilidad. Sin embargo pueden ser muy buenos amigos. Combinación indicada para actividades sociales, artísticas y de investigación donde se une la sensibilidad con la inteligencia...

CAPRICORNIO Y SU RELACION CON LOS OTROS SIGNOS

ARIES: En los negocios, especialmente en bienes raíces tendrán éxito. Sexualmente, hay una fuerte atracción entre ambos, pero debido a sus frecuentes conflictos, finalmente optarán por ser solo buenos amigos. Su forma de amar es totalmente distinta... La cabra jamás esta segura de los sentimientos del carnero, lo cela, desea poseerlo, intentan arreglarlo todo valiéndose del aspecto físico, pero llega el momento en que el carnero no entiende la actitud fría de su compañera y se aleja para correr una nueva aventura...

TAURO: Sentimentalmente podría denominarse una relación "compleja" dependerá del toro, siempre y cuando esté dispuesto a dominar a la cabra, pero aun así, bajo dichas circunstancias viviría una relación altamente conflictiva. Sexualmente tampoco hay posibilidades de llegar a un entendimiento. No obstante, esta pareja tiene grandes oportunidades de éxito en los negocios; para llevar una amistad sincera y los proyectos en general.

GEMINIS: Combinación adecuada para el trabajo, estudios pero sobre todo para viajar. En el amor existen marcadas diferencias entre ambos... Géminis, adora la libertad; no admite escenas violentas; además le parece difícil entender el comportamiento taciturno de la cabra, quien tiende a deprimirle. Definitivamente esta pareja no debiera traspasar los límites de la amistad.

CANCER: Relación maravillosa para alcanzar metas financieras y cultivar una bonita amistad... En el amor pueden surgir enormes conflictos ya que ambos cuidan excesivamente sus finanzas lo cual indudablemente les acarrearía pleitos. Al poco tiempo de unidos comenzarán una relación sadomasoquista. Un punto a su favor es que aman a la familia y la respetan, pero debido a lo anteriormente expuesto, perjudicarían psicológicamente a los hijos... Pareja triunfadora en los negocios, sobre todo los relacionados con el hogar.

LEO: Armonizan en los negocios, siempre y cuando el león desee seguir los consejos de la cabra... En el aspecto amoroso, tienen comunicación sexual, pero en ocasiones el león se comporta más cálido y resiente el comportamiento frío de su compañera quien le empuja constantemente a superarse, porque difícilmente se conforma con su nivel de vida, inclusive cuando está insatisfecha no tiene prejuicios para trabajar y costearse algunos lujos y ¿por qué no decirlo? pagarse sus caprichos... Pero finalmente uno de los dos emprende la retirada y prefieren, sabiamente, conservar la amistad.

VIRGO: Se requiere que fundamenten su unión en la sinceridad y de acuerdo con dicho comportamiento podrán gozar de una relación estable. Lo anteriormente descrito funciona en cualquier aspecto de la vida ya sea en el trabajo, los negocios, los viajes, el amor y el sexo. Tienen mucho en común, buscan la estabilidad económica y emocional, aunque la cabra es más audaz en estos menesteres ayuda a la virgen a realizar sus deseos. Podrían ser la pareja ideal, siempre y cuando aprendan a ceder.

LIBRA: Se complementan desde el punto de vista intelectual. En los negocios Capricornio revela a su compañera los secretos para ganar dinero, pero además le agrada protegerla... Libra deberá aprender a valorar la seguridad ofrecida por su compañero, porque ahí radica la clave de su éxito... En el matrimonio tienen gran posibilidad de llevar una relación estable, porque la sensibilidad jugará un papel básico en su unión. Sexualmente deben ser más románticos o correrán el riesgo de enfriarse.

ESCORPION: Ambos son apasionados, tienen intereses comunes que abarcan: el amor, los negocios, las reuniones sociales y el aspecto sexual... Desde el punto de vista amoroso pueden ser intachables padres de familia y sostener un matrimonio para no perder su estabilidad económica y social. Cuando hacen el amor se acoplan maravillosamente, pero se agotan pronto porque su relación es muy intensa. Combinación idónea para viajar.

SAGITARIO: Pese a la diferencia de caracteres, podrían cultivar una amistad duradera, en la que Capricornio guardará celosamente cualquier secreto confiado... En el amor tienen distintos puntos de vista; el arquero desea la libertad y difícilmente la cambia por las cosas materiales, situación inconcebible para la cabra que finalmente decide emprender la retirada. Pese a lo anterior, pueden ceder y lograr una relación amorosa duradera. En el aspecto sexual se atraen misteriosa e inexplicablemente.

CAPRICORNIO: De acuerdo con la diferencia entre el hombre y la mujer del signo, esta podría ser una alianza ideal, tanto en el amor como en el trabajo, especialmente en los negocios. Sentimentalmente defienden su relación por encima de la adversidad. Les atrae vencer obstáculos juntos, pero además idean estrategias para alcanzar cualquier meta... Sexualmente se acoplan muy bien y buscan la mutua satisfacción. Pareja adecuada para los viajes y los estudios.

ACUARIO: Si desean llevarse bien, requieren de una voluntad férrea que les ayude a luchar contra la adversidad. De caracteres opuestos, estos nativos difícilmente podrán aceptarse... Para el aguador resulta incomprensible claudicar ante los caprichos de la cabra quien se empecina en ahogar a su compañero y presionarlo al grado de provocar su huída... Lo anteriormente descrito funciona en cualquier tipo de relación ya sea familiar, económica, sexual y amistosa, pero recordemos que nada es imposible, además, dependerá de la madurez de cada uno para sostener la relación.

PISCIS: Combinación indicada para retroalimentar conocimientos, especialmente filosóficos y esotéricos. En el amor difieren...

Capricornio se caracteriza por tener los pies bien puestos sobre la tierra y el pez nada en una mar de ilusiones, pero a este le importuna cuando alguien se atreve a mostrarle la realidad; entonces surgen los conflictos y terminan por alejarse. Sexualmente se atraen, pero dadas las diferencias surgidas entre ambos, trátase de una relación efímera.

ACUARIO Y SU RELACION CON LOS OTROS SIGNOS

ARIES: La incompatibilidad de sus caracteres provocaría sentimentalmente un breve e intenso romance. Cuando se unen buscan románticamente una solución adecuada a sus frecuentes choques, sin embargo poco tiempo después aceptan que su forma de amar es completamente distinta. Ninguno de los dos al final, quiso ceder... En los negocios obtienen regulares triunfos; pero en los trabajos artísticos se adaptan maravillosamente, lo mismo sucede en los viajes y los estudios.

TAURO: Relación con cierto grado de dificultad... Les parece difícil aceptarse, porque tienen puntos de vista contrarios. En los negocios Tauro labora incansablemente para lograr sus objetivos y su compañero le aporta ideas revolucionarias, cuando el taureano las acepta surge el triunfo económico. En el amor se aleja y el celoso toro recrimina su comportamiento, Acuario empieza la lidia y ambos pierden la batalla... Sexualmente pueden atraerse, pero finalmente se rechazan; hasta en la amistad, pues tienen marcadas diferencias.

GEMINIS: Se comunican perfectamente, conservan una relación amorosa en la que se pueden adivinar el pensamiento. El ingrediente principal de su éxito lo basan en el refinamiento, la sociabilidad y el respeto que cada uno tiene hacia su propia libertad. Curiosamente, nos encontramos frente a los dos signos más distraídos del zodiaco, pero ellos encuentran la forma de armonizar totalmente. Combinación perfecta en las relaciones sexuales y en los negocios, los cuales atrae Géminis para ayudar a su compañero; comunicación bastante favorable.

CANCER: Difícilmente podrán adaptarse... En el amor, poseen distintas sensibilidades, el cangrejo busca la arena para resguardarse o simplemente esconde su timidez dentro de su caparazón; Acuario es libre como el viento, charla y convive socialmente... En el aspecto sexual rara vez se adaptan; Cáncer necesita una persona cálida, atenta, detallista y definitivamente no la encontrará en Acuario quien debido a su distracción nata carece de las mencionadas cualidades. En los negocios también son incompatibles; idealizan, pero no concretan sus planes. Relación indicada para el trabajo y aconsejarse mutuamente.

LEO: Puede surgir una atracción sexual en el principio de su relación, pero al paso del tiempo ambos comprenderán que no pueden ser la pareja ideal, porque sería una unión poco duradera ya que, son bien conocidas las características opuestas de ellos... El león difícilmente podrá cazar al aguador, intentará apresarlo lo que solamente logrará por unas cuantas horas y ello heriría su orgullo... Pareja triunfadora en las actividades laborales y los estudios. Regular en los negocios.

VIRGO: Relación difícil en la que ambos necesitan dar concesiones para ser felices, pueden comunicarse sentimental y sexualmente, pero las constantes distracciones de Acuario ocasionarían fuertes problemas entre ellos. A Virgo le agrada el orden; en general termina por juzgar cruelmente el temperamento acuariano. Compatibilidad perfecta en la abogacía, los viajes, los estudios y la amistad.

LIBRA: Acuario encuentra fascinante el mundo de Libra, misterioso y sensual, relación maravillosamente aspectada; sobre todo en el amor y las relaciones sexuales donde se complacen. En la amistad respetan sus ideales y poseen la fórmula para efectuar sus múltiples proyectos. Combinación adecuada para planear trabajos creativos, sociales, políticos y legales. En fin, pareja duradera y estable...

ESCORPION: Profesionalmente admiran su capacidad de trabajo y creatividad... Pero cuando se trata del amor sus intereses no concuerdan. De manera inexplicable, para el aguador, el Escorpión despierta en él toda una gama de pasiones, las cuales abarcan desde escenas tiernas hasta pleitos indescriptibles. Acuario miente, lo descubren; ante dicha actitud comienza la batalla y culmina rápidamente... Deciden alejarse para evitar mayores conflictos. Combinación propicia en los negocios y las relaciones sexuales de una sola noche...

SAGITARIO: Socialmente pueden ser la pareja ideal, conservan su amistad a través del tiempo... En el amor se atraen sólo al principio de su relación... Debido a la hipersensibilidad de ambos en un corto lapso de tiempo aceptan, en forma inteligente, conservar una bonita amistad... Relación adecuada para los negocios, los viajes y las actividades sociales...

CAPRICORNIO: Cuando desee progresar económicamente aférrese a una cabra, ella en general le ayudará a realizar la inversión adecuada y siempre obtendrá beneficios insospechados. En plan amistoso también podrán tener una cierta afinidad, claro basada en el mutuo respeto... Pero jamás en el aspecto amoroso, no concuerdan sus conceptos de la vida y evolución espiritual son diametralmente opuestos. Sexualmente no hay posibilidad de compatibilidad. Se congelarían antes de iniciar una relación.

ACUARIO: Surge una fuerte atracción entre ambos, pero... Vayamos desde el principio... Son fanáticos de la libertad en el comienzo de su relación ninguno desea "atarse", respetan su forma de proceder comunicándose a su manera, incluso profundizan en sus ideales, pero al final se dan cuenta que su amor está cubierto por una buena cantidad de hielo y prefieren ser amigos... Relación adecuada en los estudios, la política y la ciencia donde podrán satisfacer su tradicional curiosidad...

PISCIS: Espiritualmente sostienen una excelente comunicación; les place soñar despiertos y respetan sus ideales. En el aspecto sentimental trátase de una combinación un tanto difícil en la que ambos tendrían que disculpar sus diferencias, ejemplifiquemos: el pez, necesita agua; el aguador le vierte una poca de la que trae en su cántaro, pero el pez inconforme reclama mayor cantidad; está a merced de Acuario quien olvida la petición. Tan cruel descuido le provoca inestabilidad y en consecuencia grandes sufrimientos... Relación adecuada para viajar, regular en los negocios; excelente en los estudios y la política.

PISCIS Y SU RELACION CON LOS OTROS SIGNOS

ARIES: Aun cuando poseen caracteres opuestos, surge en esta pareja una atracción especial, porque se agradan sexual y espiritualmente; el ariano es receptor y el pisciano, transmisor... Cuando el pez se oculta en las profundidades del río el carnero lo alienta, le obliga a seguir adelante, pero en el amor ambos deben evitar los celos. Requieren cultivar la fidelidad para no defraudarse... Relación idónea para los negocios, los estudios filosóficos, los viajes y las actividades artísticas...

TAURO: En el amor hay cierta afinidad, pero debido a las diferencias de caracteres, su unión es corta... Sexualmente se compenetran; pero debido a los celos del toro pueden surgir conflictos difíciles de resolver. Si desean establecer una relación duradera requieren comprender perfectamente el significado de la palabra: confianza... Relación poderosa en los negocios, los estudios y los viajes donde ambos pueden retroalimentar sus inquietudes...

GEMINIS: Combinación adecuada para los negocios, Piscis en este aspecto será muy afortunado por gozar de la protección mercurial y aprenderá los secretos financieros guardados por su compañero, quien no tendrá inconveniente en revelárselos. El pez tiene una espiritualidad elevada, el geminiano es frío y calculador, por estas razones se complementan... En el amor, Piscis deberá aceptar los alejamientos inexplicables de la otra persona; de aceptarlo así podrían llegar a ser felices... Relación indicada para viajes, estudios y asuntos relacionados con la posesión de bienes raíces...

CANCER: Construyen su mundo amorosamente, comparten lo bueno y lo malo de la vida. Sexualmente tienen gustos afines complementándose perfectamente... Debido a su timidez deben aprender a darse ánimos mutuamente para evitar la depresión compartida. En general pueden conservar una relación duradera, pero un tanto inestable desde el punto de vista emocional. En los negocios no alcanzarán el éxito deseado, porque no les interesa amasar grandes fortunas. Se adaptan a vivir cómodamente, porque no les atraen los lujos ni los derroches financieros.

LEO: Procuran una amistad basada en el respeto y la admiración. La fiereza del león infunde valor al pez, siempre y cuando se trate de triunfar en los negocios, divertirse en los viajes y acudir a reuniones sociales... En el aspecto amoroso el pisciano califica a la otra persona de superficial y vanidosa, porque difieren en sus puntos de vista, podría surgir una atracción sexual rápida y de escasa importancia para ellos...

VIRGO: Relación amorosa conveniente después de los 40 años; la virgen tolerará las frecuentes distracciones del pisciano así como su falta de madurez, recordemos que esto último es frecuente en los peces... En el aspecto intelectual, se comprenderán y de acuerdo con lo anteriormente expuesto pueden merecer el calificativo de ser la pareja ideal... Relación idónea en los negocios y la amistad...

LIBRA: En el amor es una relación difícil, porque tienen sensibilidades muy opuestas... Libra, huye de la presión ejercida sobre él... Sexualmente pueden atraerse, pero tiempo después aceptan llevar una bonita amistad... Relación adecuada en el trabajo, pero jamás en los negocios porque se convertirían en un verdadero desastre financiero, ya que ambos carecen de sentido comercial... Excelente para los viajes, siempre y cuando respeten su libertad...

ESCORPION: Si desean unirse sentimentalmente deberán aprender a disculpar sus respectivas faltas... El pez cede ante las exigencias del Escorpión quien posesivamente le apresa y cuando su compañero está seguro de poseerlo entre sus manos el pez escapa y difícilmente regresa a la cárcel... Pareja con demasiadas escenas de celos y cientos de reclamos, pero aun cuando parezca difícil, logran sobrellevar una relación sentimental, después de todo a Piscis no le disgusta el sufrimiento amoroso... En los negocios es una pareja sin problemas; en los viajes se complementan maravillosamente y pueden conservar una larga e interesante amistad...

SAGITARIO: De carácter totalmente opuesto son estos nativos; solo podrán cultivar una amistad de tipo social, política y compartir alguna responsabilidad profesional... En el amor trátase de una relación conflictiva en la que el pez sale herido con las flechas venenosas del arquero. Sexualmente su relación tiene escasas posibilidades de éxito... Combinación maravillosa en los viajes y los estudios especialmente filosóficos...

CAPRICORNIO: Relación adecuada en los negocios; la cabra poseedora de una gran fuerza para atraer el dinero ayuda a su compañero para alcanzar su meta financiera, pero le exige lealtad y obediencia... En el amor trátase de una relación conflictiva. Ambos aferrados en defender su verdad propician verdaderos remolinos cargados de celos, incomprensión y llanto, este último característico del pez; es más, la seguridad de capricornio se tambalea ante la actitud depresiva de su compañero... En el aspecto sexual se atraen, pero finalmente deciden conservar una amistad la cual será venturosa y duradera... Combinación adecuada para los estudios, el trabajo en equipo y los viajes.

ACUARIO: Relación amorosa muy complicada... La inseguridad y falta de carácter pisciano, desespera al inquieto Acuariano quien le ve como un ser débil y no lo soporta, prefiere alejarse sin dar explicaciones... Sexualmente se buscan, pero su relación resulta complicada. Nacen miles de reclamos originados por los constantes alejamientos del aguador... Combinación adecuada en la amistad, porque despiertan su mutua percepción extrasensorial. Cuando deciden viajar comparten experiencias muy interesantes...

PISCIS: Pareja adecuada para la filantropía. Lo dan todo sin esperar recompensa... En el amor trátase de una relación impregnada de sufrimiento y altibajas emocionales; les faltaría carácter para enfrentar las vicisitudes de la vida... Desde el punto de vista sexual también es una combinación inadecuada, cubierta de hielo; lógicamente salpicada con posesión y dramatismo. En los negocios alguno de los dos, necesita más carácter para evitar un derrumbe financiero...

CAPITULO IV

ASCENDENTES

— *Me parece difícil permanecer dentro de una oficina, necesito un trabajo donde pueda viajar.*

GEMINIS - LIBRA

— *Hace tiempo lo soñé y ahora lo vivo; me parece algo fantástico.*

PISCIS - ESCORPION

Tabla de Ascendentes

6-8	ARIES	TAURO	GEMINIS	CANCER	LEO	VIRGO	LIBRA	ESCORPION	SAGITARIO	CAPRICORNIO	ACUARIO	PISCIS
8-10	TAURO	GEMINIS.	CANCER	LEO	VIRGO	LIBRA.	ESCORPION	SAGITARIO	CAPRICORNIO	ACUARIO.	PISCIS	ARIES
10-12	GEMINIS	CANCER	LEO	VIRGO	LIBRA.	ESCORPION.	SAGITARIO	CAPRICORNIO	ACUARIO	PISCIS.	ARIES	TAURO
12-14	CANCER	LEO	VIRGO	LIBRA.	ESCORPION.	SAGITARIO	CAPRICORNIO	ACUARIO	PISCIS	ARIES	TAURO	GEMINIS
14-16	LEO	VIRGO	LIBRA.	ESCORPION	SAGITARIO	CAPRICORNIO	ACUARIO	PISCIS.	ARIES	TAURO	GEMINIS	CANCER
16-18	VIRGO.	LIBRA	ESCORPION	SAGITARIO	CAPRICORNIO	ACUARIO	PISCIS	ARIES	TAURO	GEMINIS.	CANCER	LEO
18-20	LIBRA	ESCORPION	SAGITARIO	CAPRICORNIO	ACUARIO	PISCIS	ARIES	TAURO	GEMINIS	CANCER	LEO	VIRGO
20-22	ESCORPION	SAGITARIO	CAPRICORNIO	ACUARIO	PISCIS.	ARIES	TAURO	GEMINIS	CANCER	LEO	VIRGO	LIBRA.
22-24	SAGITARIO	CAPRICORNIO	ACUARIO	PISCIS.	ARIES.	TAURO.	GEMINIS.	CANCER	LEO	VIRGO	LIBRA	ESCORPION.
00-2	CAPRICORNIO	ACUARIO	PISCIS	ARIES.	TAURO	GEMINIS	CANCER	LEO	VIRGO	LIBRA.	ESCORPION.	SAGITARIO
2-4	ACUARIO	PISCIS.	ARIES.	TAURO	GEMINIS.	CANCER	LEO	VIRGO	LIBRA.	ESCORPION	SAGITARIO	CAPRICORNIO
4-6	PISCIS	ARIES.	TAURO	GEMINIS	CANCER	LEO	VIRGO	LIBRA	ESCORPION.	SAGITARIO	CAPRICORNIO	ACUARIO.

TABLA DE ASCENDENTES

Cuando trabajé en la XEW, el Ingeniero Norberto Canseco me obsequió, amablemente, una tabla de ascendentes* la cual es muy fácil de consultar y me evitó hacer las consabidas matemáticas.

Posteriormente, realizamos exhaustivas pruebas con miles de personas que nos han llamado por teléfono, checamos sus ascendentes con nuestra tabla y hasta el momento acertamos; a continuación le indicamos tres casos para facilitar el uso de la tabla.

Ejemplo: Lucía de Acuario nació a las 6:30 hrs. - (se indica con una flecha).

Como ya se habrá percatado no tenemos la fecha ni el lugar, únicamente requerimos el signo y la hora.

Con su dedo busque los números, en la tabla, que encontrará en el márgen: 6-8, 10-12, 14-16, etc. Tales dígitos significan las horas y como notará cada 120 minutos cambia de signo, pero continuemos: consulte el horario (6-8), deslice su dedo hasta Acuario (Ver tabla) Lucía es doblemente Acuario... Seamos explícitos; los signos de la primera línea de su tabla son los que se toman en cuenta.

CUSPIDE

Roberto de Tauro nació a las 10:00 hrs. (por la mañana) la hora de su nacimiento se considera en cúspide, esto significa que está entre un signo y otro, pero como resulta imposible asegurar el momento exacto; un segundo puede cambiar nuestro destino, entonces considere 10:01...

Busque Tauro en la parte superior de su tabla, consulte de: 10 a 12. ¿Listo? El ascendente es Cáncer. Como habrá observado se trata de una forma sencilla y rápida. Ahora, consulte los pormenores de su personalidad en las siguientes páginas.

---

* Ascendente es el signo que transitaba en el momento en que uno nace y determina nuestra personalidad, temperamento y cuerpo físico.

ASCENDENTES DE ARIES

ARIES-ARIES: Dirigente nato, posee carácter fuerte y complicado. Le agrada ser respetado por quienes le rodean; teme al ridículo... Debido a su agresividad, jamás reconoce las faltas cometidas y menos aún permite que alguien se atreva a indicárselas. Cuando se encuentra fuera de sí prefiere callar, porque conoce su forma de ser y le desagrada responder groseramente. Habilidad para las artes marciales; se le recomienda practicar el karate deporte que le ayudará a mejorar su energía y desde luego debilitará su agresividad... Exigente en el amor no aboga por la fidelidad, pues rara vez encuentra en una sola persona las cualidades requeridas para hacerle feliz. Sin embargo, vive épocas en las que es fiel hasta con el pensamiento. Suerte en los negocios productivos. Desconoce el significado de la derrota, en especial la financiera, porque dirige su atención hacia las actividades de su agrado. Difícilmente conoceremos a una persona *ARIES-ARIES* realizar una labor contraria a sus deseos... Salud maravillosa, pero debe cuidar la garganta y las enfermedades relacionadas con la cabeza. Triunfo seguro en: la política, los deportes, el periodismo y desde luego en los negocios...

ARIES-TAURO: Talento muy desarrollado para triunfar en los negocios, posee inteligencia, tenacidad y un cierto toque de "Rey Midas" para triunfar económicamente, pero es justo señalar que debe ser algo propio de lo contrario corre el peligro de estancarse por falta de incentivos. Además, le molesta recibir órdenes... En el amor prefiere a las personas de buen carácter, huye de la gente complicada; en este aspecto requiere tranquilidad pero sobre todo debe aprender a dominar la imaginación y los celos. Después de todo usted no es precisamente una "blanca paloma"... Sexualmente disfruta de los placeres; cuando está comprometido sabe ocultar las aventuras románticas, pues le agrada respetar a quien comparta su vida. Una sugerencia; procure ser más elástico, evite imponer su ideología y alejará fuertes disgustos... Por favor analice detenidamente sus acciones y no se aferre a lo imposible. Salud excelente, pero debe cuidarse de las enfermedades gastrointestinales. Triunfo en los negocios, especialmente los de bienes raíces y las actividades artísticas en general...

ARIES-GEMINIS: Le agrada viajar. Por la posición de su ascendente obtendrá mucho dinero gracias a su éxito, ganado en los viajes los que para usted son favorables, pues le equilibran mental y físicamente... Tendencia a compartir su vida con gente liosa, quienes perjudicarán su buen nombre, pero además alejarán de usted a personas valiosas; por ende se le recomienda llevar a cabo la sabia frase de Santo Tomás: "Ver para creer"... Nunca debe prestar oído a los comentarios adversos y menos aún a los dirigidos en contra de quienes estime; de omitir esta advertencia se quedará solo; castigo terrible para alguien que gusta rodearse de amistades, incluso muchas veces las antepone a la familia; pero argumenta que lo hace para defender su "libertad"... Durante su juventud es demasiado aventurero; tiene especial debilidad hacia el sexo opuesto. Debido a su desubicación emocional, requiere aprender a valorar las relaciones matrimoniales para evitar conflictos legales. Carácter inquisitivo e inestable. Triunfo asegurado en la fama y el dinero, atribuible a su enorme carisma, pero debe invertir cuidadosamente sus ganancias ya que peligrará su futuro económico. Salud, complicada; vigilar: los ojos, la nariz y el pecho...

ARIES-CANCER: Debido a su carácter introvertido le resulta problemático expresar sus emociones y comunicarlas a la sociedad; paradójicamente, a menudo le agrada ampliar su círculo de amistades. Cuando decide externar sus comentarios éstos son simpáticos y agudos... Durante el transcurso de su vida obtendrá grandes beneficios espirituales y económicos todo ello debido a su hipersensibilidad; sueños y presentimientos... Asi mismo, gozará de gran popularidad con el sexo opuesto; cuando tiene un amor estable procura respetarlo, convirtiéndose en una persona hogareña y suele ser excelente compañero... Inagotable cuando hace el amor... Respetado por sus amistades, estas le ayudarán a triunfar en todos los aspectos... Debe cuidar la salud, especialmente visite al otorrinolaringólogo... Bien aspectado en los negocios que sean de su propiedad...

ARIES-LEO: Tendencia a la egolatría la cual debe dominar, porque con la mencionada actitud atrae la antipatía general... De personalidad recia tiene alma de líder; posee la cualidad de organizarlo todo; hasta lo "imposible". Su generosidad le impulsa a defender las causas nobles; admira la cultura y siente fuerte atracción hacia la política. De proponérselo destacaría en esta actividad... Amante de la perfección, exige la misma cualidad a quienes le rodean... Salud maravillosa, pero debe vigilar los excesos sobre todo en la comida, porque aumenta fácilmente de peso... Le gusta dominar a su pareja; es celoso, le agrada apasionarse, pero exige también exclusividad a la otra persona... Triunfará en cuanto se lo proponga; tiene fuerza de voluntad forjada en hierro.

ARIES-VIRGO: Su juicio crítico altamente desarrollado le permite conocer a una persona a primera vista y podríamos asegurar que su punto de vista es totalmente acertado... A diferencia de la gran mayoría de la gente, usted planea detenidamente cada paso; cuando lo da es porque está plenamente seguro de su éxito. Inclusive causa la impresión de ser demasiado lento, pero sucede que usted no desea correr ningún riesgo... Entre sus cualidades figuran: el orden, la sinceridad y la suspicacia, pero requiere vigilar sus palabras para no herir a las personas... En el amor procura seleccionar a su pareja. Detesta las manifestaciones vulgares sobre todo cuando hace el amor... Salud maravillosa, pero no debe confiarse; de hecho jamás lo hace. Triunfo en la medicina, la psiquiatría, la filosofía y en los negocios de bienes raíces...

ARIES-LIBRA: Gran atracción hacia las Bellas Artes, pero además goza de talento artístico, cuando lo enfoca debidamente;

tiene gran posibilidad de triunfar, pero debe situarse en la realidad, porque tiene marcada tendencia a ver la vida con un cristal rosa; hecho que le hace idealizar cuanto le rodea. Debido a la influencia de su signo ascendente, requiere hacer a un lado la pereza y cargarse de energía para cumplir debidamente con sus compromisos laborales; cabe mencionar que Aries le imprime energía y personalidad cualidades significativas para materializar sus deseos... A lo largo de su vida lucha por atraer la madurez emocional y la estabilidad económica... En el amor suele afrontar conflictos serios, pero debe alejarlos para ser feliz o correrá el peligro de amargarse. Sexualmente, tiene frecuentes aventuras, pero necesita guardarlas en secreto para no dañar su reputación... En la salud debe cuidar el sistema nervioso, porque éste le acarrea insomnio...

ARIES-ESCORPION: Marcada tendencia a exagerar las cosas de la vida; cuando tiene problemas fuertes se convierte con asombrosa facilidad en una persona caprichosa y deprimida... Sexualmente es muy fogoso; precisamente ahí desahoga cualquier tensión nerviosa incluyendo sus frustraciones... En el amor vive tórridos y efímeros idilios, pero al casarse intenta alejarlos para no lastimar, con su alocado comportamiento, a su cónyuge... Preocupado por su futuro económico cuida los pesos y los centavos, motivo por el cual se gana fama de "tacaño"; no desea llegar a la vejez sin haber resuelto su problema financiero; el sólo hecho de pensarlo le provoca escalofríos... Siente especial atracción hacia los triunfos difíciles y cuando no los obtiene, se amarga... Goza de buena salud, pero necesita vigilarla a partir de los cincuenta años. Triunfo en los negocios; cualquier trabajo creativo y la abogacía, especialmente la penalista... Excelente reconciliador de amigos y familiares...

ARIES-SAGITARIO: Carácter agradable, atractivo físico y muy sincero de acuerdo a su ascendente... Este es el más afortunado de los Aries, su carisma es único. Respeta a las personas inteligentes, porque se identifican completamente con el. Trabajador incansable, le obsesionan a tal grado sus actividades que aún durante el sueño continúa en su labor. No debe extrañarle que al despertar amanezca con el pensamiento dirigido hacia un nuevo proyecto y tampoco dude en realizarlo en el menor tiempo posible... Fuerte inclinación hacia el arte escénico y la literatura, de proponérselo alcanzaría grandes éxitos. Líder natural, puede cumplir adecuadamente con puestos de responsabilidad... En el amor debe seleccionar cuidadosamente a su cónyuge, porque tiende a involucrarse con personas infieles, hecho que le provocaría inestabilidad emocional, porque es demasiado celoso... Sexualmente, procura ser fiel, muchas veces se queda en el intento, desea complacer a su pareja y tal hecho le hace inolvidable. Le agradan los viajes de negocios y de placer, pero además los requiere para mantener su equilibrio material y filosófico, aunque usted es el verdadero: "Rey Midas" del zodiaco y jamás padecerá escasez de dinero. Finalmente mantenga estrecha vigilancia médica en los riñones, la garganta y la sinusitis...

ARIES-CAPRICORNIO: El nacido bajo esta influencia zodiacal es demasiado apegado a las cosas materiales, especialmente a las propiedades y al dinero; adquiridos a base de una gran tenacidad... Cuando les faltan los medios económicos se angustia irremediablemente, porque basan la seguridad en sus cuentas bancarias... Es nervioso y exigente, le disgusta la impuntualidad sobre todo en los negocios donde son constantes y formales. Se les recomienda evitar la desesperación, porque suelen desear resolver cualquier problema en segundos... En el amor temen entregarse por completo ya que, en su afán de avanzar económicamente, descuidan el aspecto sentimental... Siente verdadera atracción hacia los retos los cuales vence y en verdad este nativo desconoce el significado de la derrota, porque nació para triunfar...

ARIES-ACUARIO: Tendencia a la inestabilidad emocional, con frecuencia su reacción no corresponde a su convicción; inclusive le asombran sus propias decisiones. Curiosidad hacia las ciencias ocultas y el futuro tecnológico del mundo... Desea ser el primero en todo, y le atrae descubrir todo lo que parece nuevo... En el amor suele inclinarse hacia la soledad pues difícilmente se adapta a vivir en pareja; cuando al fin lo consigue decide casarse, pero tiene dificultades con su cónyuge porque le exige perfección... Para usted el aspecto sexual carece de importancia... Triunfo seguro en las actividades humanitarias, filosóficas y artísticas...

ARIES-PISCIS: Debido a la influencia ejercida por su signo solar, posee el don de la sensibilidad y la elocuencia, pero su ascendente le hace parecer idealista, por lo tanto debe guardar secretamente sus proyectos, porque serían juzgados como "descabellados"... Le agrada rodearse de personas espirituales, porque se identifica plenamente con ellas. Poseedor de fuertes dotes psíquicos debe aprovecharlos y de hecho los aplica tal vez inconscientemente para resolver conflictos ajenos. En el amor es leal, tiene sentimientos estables y profundos. No le concede importancia al aspecto sexual, pese a ser apasionado... Económicamente, sufrirá altibajos. A manera de sugerencia evite dar y recibir préstamos...

ASCENDENTES DE TAURO

TAURO-ARIES: La influencia de este signo de fuego confiere al nativo carisma y deseos de convertirse en líder, posee la fiereza necesaria para afrontar todo género de responsabilidades. Le agrada vivir cómodamente; lucha constantemente para alcanzar un estatus social y económico, pero cuenta con la suficiente tenacidad para obtenerlo. De personalidad fuerte destaca en cualquier actividad, especialmente en los negocios propios, los cuales atrae fácilmente... Apasionado en el amor, complace a su pareja; pero cuando le engañan es implacable y nunca perdona... Temperamento ardiente y apasionado... Salud, buena; pero requiere cuidados en la garganta y en las enfermedades gastrointestinales...

TAURO-TAURO: Insuperable anfitrión, disfruta grandemente las relaciones sociales, en especial las reuniones dentro de su hogar. De naturaleza sibarita, debe vigilar no caer en los excesos especialmente cuando disfruta de la buena mesa. Le fascina cualquier tipo de reto y podría decirse que goza venciéndolos. Poseedor de buen carácter, cuando le sacan de quicio reacciona como toro en la lidia. Práctico natural, adora la vida del campo; respeta su hogar y familia por encima de cualquier tentación... Siente cariño hacia los niños; le agradan los animales y las flores... La gran mayoría de estos nativos se casan jóvenes y rara vez se arrepienten. Buscan a una persona de carácter alegre, porque huyen de los dramas... Tendencia al lujo y a vivir confortablemente... Apasionado en la amistad o en el amor... Exito asegurado en los deportes, la política y los negocios o la venta de cosas relacionadas con el hogar... Salud magnífica, pero deben cuidar su garganta y el estómago...

TAURO-GEMINIS: Gran habilidad para obtener ganancias materiales, pero requiere concentración para alcanzar sus metas, porque debido a su enorme creatividad puede desubicarse y perder las oportunidades que se le presenten en la vida... Es el eterno niño del zodiaco siempre a la búsqueda de la información que le ayude a aumentar sus conocimientos... Lamentablemente se interesa por los temas superficiales... En el amor debe estabilizarse, porque tiende a vivirlo muy a la ligera. Desea ser fiel y con frecuencia pierde su intención... Respecto a la salud debe cuidar su garganta; está expuesto a las afecciones bronquiales...

TAURO-CANCER: Gran preocupación hacia los problemas familiares, pero está en la mejor disposición de resolverlos... Hipersensible nato, difícilmente entrega su confianza a personas extrañas o conocidas. Prefiere analizar sus palabras antes de cometer errores, además les teme... Incluso, hay quienes le acusan de ser inexpresivo, por lo tanto a manera de sugerencia debe superar su timidez... Amante del hogar y las comodidades, prefiere quedarse en casa en vez de aceptar una invitación a un restaurante, la única forma de sacarlo de su fortaleza es para tratar asuntos de negocios en los que se interesa para mejorar el nivel económico de su familia... En el amor se equivocan varias veces antes de encontrar a la pareja ideal, hecho atribuible a cierta tendencia a desilusionarse de las personas. Como subconscientemente espera un desengaño, cuando lo afronta se dice: "la verdad no me extraña ya lo esperaba". Se le recomienda alejar toda clase de pensamientos negativos, porque necesita atraer lo positivo, esencialmente en el aspecto sentimental... Debido a su perseverancia y sensibilidad puede amasar verdaderas fortunas, pero debe cuidarlas para no tener problemas económicos en la vejez... En la salud, tiende a padecer: colitis, laringitis y amibiasis...

TAURO-LEO: Bajo esta combinación nacen personas ambiciosas, pero difícilmente tienen como lema atropellar a la gente para lograr sus propósitos... Aman al prójimo, pero debido a su recio carácter atraen enemistades. Practica y exige la perfección; le resulta imposible perdonar los errores... Si desea alcanzar objetivos, necesita dominar sus impulsos, porque su coraje nunca dura mucho tiempo, además si tiene buenos sentimientos no vale la pena enfadarse. De naturaleza caprichosa, le agrada tener la razón aún cuando le demuestren lo contrario. Si logra vencer su autoritarismo obtendrá un éxito completo, especialmente en el terreno familiar... Por otra parte, nos encontramos frente a uno de los mejores anfitriones del zodiaco, adora las fiestas; le agrada el confort, en fin es un verdadero sibarita y trabaja sin descanso para darse cualquier lujo... Sexualmente es muy temperamental y espera reciprocidad de su pareja... En la salud debe vigilar su sistema nervioso, porque cuando se altera puede atraerse alguna afección cardiaca...

TAURO-VIRGO: Una de sus razones principales en la vida es adquirir bienes materiales... La existencia de este nativo se divide en dos ciclos, seis meses antes de su cumpleaños y seis meses después; en lo concerniente al primer período es muy desordenado y luego se convierte en el vivo ejemplo del orden. Lo que difícilmente cambia en él, es su juicio crítico muy desarrollado, que debe aprender a callar, porque a el mismo le molesta cuando alguien desea interferir en sus decisiones... Para evitarse problemas sentimentales profesa fidelidad a su cónyuge, pero ante todo piensa en su equilibrio emocional y material. Requiere vigilar las tendencias ególatras... Cuando se entrega a su trabajo cumple toda clase de responsabilidades, pero realmente se considera feliz cuando se organiza. Como jefe es demasiado exigente... Salud buena en general. Evite excederse en la comida...

TAURO-LIBRA: Posee memoria fotográfica y gran sensibilidad artística, pero curiosamente le parece difícil recordar los nombres de las personas, sin embargo como nunca olvida un rostro, ello le ayuda a salir adelante... El amor juega un papel estelar en su vida y le agrada compartir sus triunfos con una pareja. Cuando no encuentra el amor se obsesiona por él... Sexualmente es temperamental; influenciado natural por Venus, planeta regente de ambos signos. El aspecto financiero, asegura, no interesarle lo suficiente, sin embargo debe aprender a considerarlo, porque le agrada el lujo y por ende la comodidad. Triunfo en cualquier actividad artística. Salud, en general, buena.

TAURO-ESCORPION: La teoría Freudiana de: "Todo gira alrededor del sexo" describe en su totalidad al nativo de esta combinación astrológica... Excesivamente apasionados, viven tórridos, pero más de las veces, fugaces idilios que, en su momento, disfrutan plenamente. Maestro de la conquista sabe apresar a su víctima con dulzura; luego cambia radicalmente su comportamiento transformándose en un ogro... De personalidad intensa oscila entre un extremo y otro sin admitir transición y nadie puede adivinar su próxima reacción. Violento por naturaleza, actúa visceralmente... Gran facilidad para atraer los negocios, pese a ser catalogado por muchos, de "antisocial", calificativo dado, porque difícilmente salen de su hogar... La mujer nacida bajo estas características astrológicas debe cuidar las enfermedades propias de su sexo y el hombre, la próstata.

TAURO-SAGITARIO: Durante su juventud carece de estabilidad emocional, porque ama intensamente las aventuras, tanto en los viajes como en el amor. Cuando llega a la madurez ya cansado de cuanto ha vivido procura ubicarse; contrae matrimonio, busca un empleo fijo que conserva debido a su inteligencia... Le agrada bromear, pero necesita evitar los comentarios sarcásticos y ofensivos... Para vacacionar, especialmente el campo; enciende fogatas bajo la luz de la luna; podría admirar la danza del fuego, toda una noche y muchas más... Salud bien aspectada, pero debe cuidarla de los continuos y molestos resfriados... Talento artístico, excepcional; pero generalmente desaprovechado.

TAURO-CAPRICORNIO: Debido a la influencia de ambos signos terrestres este nativo posee una fuerza indescriptible para trabajar en perfecta armonía y con ahinco; practicamente, desconoce la palabra cansancio motivo por el cual amasa una verdadera fortuna... Difícilmente conoceremos a un nativo, de las mencionadas características, que no cuente con los recursos financieros necesarios para adquirir su propia empresa. A temprana edad alcanza un grado de madurez asombroso. Se caracteriza por tener los pies bien puestos sobre la tierra, soñar despierto jamás le ha gustado... De carácter sociable, se le aconseja no otorgar préstamos a sus amistades, porque las perdería... Demasiado responsables. Cuando se le encomienda una tarea o le solicitan un favor no descansa hasta ver cumplida su misión. Debe ser menos estricto con usted mismo y con su familia, reconocemos sus cualidades de amante, esposo y padre ejemplar pero no abuse de su autoridad... En el amor es altamente apasionado cualidad admirada por el sexo opuesto, pero evita las aventuras fáciles. Elige lo más difícil y más de las veces se encapricha con una persona que no corresponde a sus sentimientos ¡mucho cuidado!

TAURO-ACUARIO: Es el confidente perfecto del zodiaco; incapaz de revelar un secreto, equivaldría a traicionar la confianza de un amigo y para él la amistad es fundamental... Alegre e inteligente; alabado por su educación y cualidades morales... Marcado interés por resolver problemas comunitarios. Incluso, la política ejerce gran influencia en su vida... Además tiene gran visión en los negocios, le agrada el orden y la creatividad manual y mental, pero debido a sus múltiples cualidades necesita concentrar su atención en un sólo objetivo, porque tiende a distraerse fácilmente de su meta inicial. Goza de gran atractivo con el sexo opuesto, pero le agrada más la estabilidad. En el aspecto sexual desea satisfacer a su pareja y lo consigue fácilmente pues tiene un sexto sentido para desarrollar la sensualidad. Salud, bien aspectada, pero debe cuidarse de las caídas y de los accidentes caseros...

TAURO-PISCIS: Tendencia a entregarse material y espiritualmente. Filántropo nato, desea ayudar a los desvalidos: “El Robin Hood” del zodiaco... Pero lamentablemente atrae personas "interesadas" quienes aprovechan su corazón idealista para obtener de usted beneficios insospechados... Un Tauro difícilmente entrega su amistad, pero dada esta combinación astrológica, sucede exactamente lo contrario. Carácter amable, simpático y sumamente distraído... En el amor no escatima sacrificios con tal de proveer a su pareja de lo necesario, bueno al menos lo intenta; porque cuando ve la necesidad ajena evalúa la situación y ayuda a quien más lo necesite... Sexualmente, prefiere las relaciones intensas. Necesita aprender a cultivar el arte de la concentración, pues de no adquirirla podría ocasionarse innumerables problemas, causados por sus frecuentes distracciones... Su búsqueda mística puede ser incansable; desea la paz interior. Cuando tiene dificultades procura aceptarlas filosóficamente... Salud regular. Tendencia a sufrir dolores de cabeza y del estómago...

ASCENDENTES DE GEMINIS

GEMINIS-ARIES: De carácter sumamente difícil de comprender; algunas veces da la impresión de ser franco y otras diametralmente opuesto. Amante de las discusiones, debe evitarlas o de lo contrario enfrentará calumnias, lanzadas por sus enemigos. Le disgusta que pongan en duda sus conceptos, porque siempre desea tener la razón y esta debe ser la única verdad. Sobra aclararle que su actitud es errónea... Le agrada exponer sus ideas visionarias las cuales mucha gente juzga de "alocadas", pero a través del tiempo con ellas alcanza el éxito... En la cuestión financiera, difícilmente tendrá problemas; sabe conjugar la inteligencia con el arduo trabajo, pero triunfará en las actividades de tipo intelectual... En el amor prefiere una pareja sumisa; sobre todo en los años juveniles cuando no ha alcanzado madurez emocional, la cual aquí entre nosotros, jamás la obtiene del todo... En el aspecto sexual es muy fogoso y difícilmente queda satisfecho de ahí que propicie innumerables aventuras visionarias, debido a estas alcanzará cuanto desee, pero necesita dominar sus impulsos... Salud un tanto débil; debe visitar al doctor cada seis meses...

GEMINIS-TAURO: Persona ecuánime, por lo tanto de carácter amable; le agrada adaptarse a cualquier circunstancia. Procura el bienestar de su familia. Cuando viaja le gusta compartir sus experiencias ya sea relatándoselas o invitándoles a ir con usted... El dinero jamás le faltará. Goza de los beneficios mercuriales y la perseverancia taureana le ayudará a alcanzar cualquier meta deseada... Triunfo indiscutible en la venta de inmuebles donde amasaría una verdadera fortuna... El amor lo equilibra con el deseo... Salud maravillosamente aspectada...

GEMINIS-GEMINIS: Persona altamente sociable; durante algún tiempo comparte su vida con un círculo de amistades para después cambiarlas por las de otro medio más novedoso... El dinero nunca será un obstáculo para viajar, hecho que le maravilla, porque recibirá constantes invitaciones para recorrer el mundo... Inestable emocionalmente, debe atender especialmente este punto mencionado; de hacer caso omiso podría arruinarse. Posee el don de la elocuencia del que debe servirse para materializar todos sus deseos, pero guarde secretamente sus planes y así acallará las envidias... Nervioso y otras malhumorado, su actuación es impredecible para quienes le rodeen; para tranquilizarse requiere variados cambios ya sea de residencia o variar su fórmula de trabajo... Exito en las actividades literarias, la locución y desde luego en los negocios que le permitan conservar su independencia nata... En el amor busca una pareja que respete su libertad y quien le motive sexualmente... Salud sin problemas; estos comienzan después de los cincuenta años, cuando empiece a sufrir achaques...

GEMINIS-CANCER: Su excesiva timidez podría arruinarle la vida; domínela para alcanzar objetivos... Tendencia a encerrarse dentro de su mundo, cargado de imaginación e idealismo, por ello mismo no desea compartirlo con nadie... Mucha gente se acerca a usted para confesarle sus problemas y les encuentra una solución rápida y adecuada lo cual se deriva de su capacidad analítica... La indecisión podría convertirse en su enemiga principal. Cuando logre vencerla notará un gran cambio en su vida... En el amor tiende a desubicarse completamente, además es demasiado exigente con su pareja. Le agrada sentirse libre, pero a la vez no le disgustan las escenas de celos; sabemos que posiblemente diga: “Mentira, es lo que más detesto”, pero analícelo y nos dará la razón... Sexualmente prefiere a las personas tranquilas, desde luego para evitar exigencias al respecto... Triunfo en la psiquiatría, la literatura y la pintura...

GEMINIS-LEO: Aleje la vanidad de su vida o le causará grandes problemas; cuando aprenda a dominarla hallará el camino... Tendencia a ser demasiado exigente, tanto en el hogar como en sus actividades laborales. Orgulloso de su "perfección" incomoda a quienes conviven con usted... De recia personalidad, ésta le ayudará a abrirse camino para obtener logros. Destacará principalmente en los negocios, la política y en el arte escénico. De proponérselo alcanzaría reconocimientos insospechados. En el amor no perdona los errores pues busca a un dechado de virtudes, pero sobre todo le atraen la personas carentes de exigencias económicas y sexuales... Salud, magnífica hasta después de los cincuenta años lapso después del cual deberá vigilar el corazón y los pulmones...

GEMINIS-VIRGO: Su excesiva tendencia analítica le da la apariencia de ser una persona fría y calculadora. Sin duda posee una mente racional, pero en ocasiones se desconcierta ante sus propias actitudes, porque desea, y a la vez rechaza, su libertad... Considérese una persona creativa; dicha cualidad le ayudaría a destacar en la literatura, la medicina, la psiquiatría o las actividades filosóficas... En el amor, obstaculiza sus propios sentimientos. Le resulta prácticamente imposible demostrar su verdadero sentir lo cual se atribuye a que no desea parecer un tonto enamorado... Sexualmente le excitan las personas inteligentes y apasionadas para que despierten sus instintos sensuales los que permanecen dormidos por largos períodos... Salud maravillosa, pero usted contribuye a gozar de ella puesto que corre a ver a un médico en cuanto siente una pequeña molestia...

GEMINIS-LIBRA: Externa sus puntos de vista solamente cuando está seguro de tener argumentos irrefutables... Siente temor al ridículo... Le fascina viajar y busca con vehemencia el reconocimiento público, especialmente el conferido a su talento. Goza de sensibilidad artística, aprovéchela para destacar económicamente. Posee voz bien timbrada de la que se sirve con frecuencia para atraer y conquistar a la gente. Filósofo nato demuestra gran interés hacia el mundo y sus curiosidades. En este punto no conoce limitaciones... En el aspecto económico se le recomienda cuidar su dinero, porque tiende a derrocharlo fácilmente y dicha actitud le acarrearía problemas financieros futuros, sobre todo en la edad madura... Disfruta con plenitud de las relaciones sexuales, incluso quiere a imitar el comportamiento marinero: "un amor en cada puerto"... Salud bien aspectada; difícilmente padecerá graves enfermedades...

GEMINIS-ESCORPION: Carácter problemático durante la adolescencia, pero después se convertirá en una persona de fuerte carisma y personalidad misteriosa... Apasionado del amor y el sexo, tiende a destacar por su cualidad de amante perfecto; además de ser físicamente muy bien parecido. La persona nacida bajo esta combinación tiene un imán catalogado por muchos como "atractivo animal" que despierta los instintos primarios en quienes le tratan íntimamente, lo cual aunado a su atractivo físico natural, le convierte en una persona dada a las aventuras amorosas, pero cuando se canse de éstas, buscará una pareja con quien pueda compartir sus inquietudes de cualquier índole. Claro dependerá de sus aspectos astrológicos que sea feliz, porque la fidelidad no es precisamente una de sus cualidades y únicamente la "regala" a quien cubra sus indescifrables exigencias... Por intuición natural recurre a su fértil imaginación para forjarse un futuro. No le interesa invertir tiempo; desea alcanzar su meta y esta sería la única razón de su existir... Afortunado en los negocios y las inversiones de bienes raíces...

GEMINIS-SAGITARIO: Desde niño busca la fama y el reconocimiento. La felicidad le apresa cuando se convierte en el centro de atracción... Carácter un tanto difícil, pero adaptable a las circunstancias que le rodean... Se deprime cuando no le comprenden o rechazan su inteligencia. Le agrada viajar y siente especial atracción hacia la filosofía, las investigaciones, pero evade encerrarse largas horas en un solo lugar... Al nativo con este ascendente le parece difícil enamorarse y muchas veces se apresura a fingir, con verdadera maestría, sus sentimientos; pero dentro de su yo interno admite la realidad. Incluso tiende a contraer matrimonio más de una vez. Generalmente, se inclina hacia las aventuras que no comprometan su libertad... Salud, bien aspectada.

GEMINIS-CAPRICORNIO: Dada su gran inquietud, requiere variados cambios de actividad... Generalmente, desea alcanzar una posición económica desahogada, pero cuando se interpone alguna situación conflictiva para obtener su meta financiera, tiende a convertirse en una persona frustrada, deseosa de complicar la existencia de quienes convivan con usted... Idealista, necesita aprender a encauzar sus deseos para lograr solidez económica... En cuanto al amor, cuando decide ponerle fin a sus aventuras románticas, se inclina hacia el matrimonio, pero huelga aclarar que debe tener una magnífica cuenta bancaria de lo contrario rechazará sin pensarlo, un compromiso formal. Sexualmente es muy apasionado y atrae con facilidad al sexo contrario. Salud bien aspectada.

GEMINIS-ACUARIO: Bajo esta combinación nacen las personas más idealistas del zodiaco y también las catalogadas de inmaduras y distraídas. Siempre parecen ausentes y lo están... Usted notará que cuando alguien le habla no puede escuchar atentamente a su interlocutor ¿por qué? se cuestionará, bueno, sucede que su mente se encuentra a cientos de kilómetros de distancia seguramente imaginando algo nuevo para después obtener algun beneficio, especialmente creativo... Le disgusta la rutina y la imposición de horarios, ama y defiende su libertad por encima de cualquier situación, no la cambiaría ni por la presencia de una millonaria y bella heredera que quisiera casarse con él... El amor es para este nativo una especie de juego divertido que le ayuda a matar el aburrimiento. Le agradan las aventuras de una sola noche, pero cuando se compromete ¿en realidad lo hace? - procura ser fiel... Muy inteligente, pero inestable, su pensamiento no concuerda con su acción, tan es cierto, que es el primero en asombrarse de sus actos. Puede ganar dinero gracias a su creatividad, misma que no debe desaprovechar. Salud, bien aspectada.

GEMINIS-PISCIS: Psíquico nato, haga caso de sus presentimientos, porque a través de éstos recibe mensajes importantes... Muchas veces se cuestionará la realidad de la vida y no encontrará una respuesta que satisfaga por completo sus planteamientos y dentro del contexto prefiere idealizar su mundo, lo que podría atraerle innumerables problemas... Aún cuando mercurio proteja sus finanzas requerirá la asesoría de un contador para llevar las cuentas ya que usted está reñido con los números... Carácter retraído e inmaduro, mentalmente le cuesta trabajo encontrar su camino, pero tiene éxito en las investigaciones científicas y el ocultismo, siempre y cuando anote los descubrimientos... En el amor, tendencia a idealizar a la persona querida por usted, más temo decirle que le parece imposible definirla... Sobrelleva las relaciones sexuales en forma pasiva. Salud, un poco débil sobre todo en lo referente al sistema nervioso.

ASCENDENTES DE CANCER

CANCER-ARIES: Persona decidida, busca a través de su vida el reconocimiento, el cual indudablemente, tarde o temprano alcanza. Carácter fuerte; jamás admite sus faltas y menos aún acepta las de sus familiares. Rehuye la depresión; cuando le quiere apresar busca de inmediato una actividad que le impida adentrarse en una situación emocional conflictiva. Le agrada ser respetado, sobre todo al exponer sus puntos de vista y lucha denodadamente por lograr un merecido reconocimiento a sus ideas. En el amor le desagrada enterarse de los aspectos sentimentales concernientes al pasado de su pareja. Desea ser fiel, porque debido a su carismática personalidad atrae grandemente al sexo contrario. Hogareño y emotivo, pero sabe esconder muy bien sus cualidades las que para usted podrían ser un síntoma de debilidad emocional. Sexualmente es muy fogoso y emotivo. Talento para los negocios y líder nato. Salud regular, necesita vigilancia en su garganta y las enfermedades estomacales.

CANCER-TAURO: Ama la paz de su hogar, disfruta de la buena mesa y le agrada vivir confortablemente, podría ser muy feliz si en la sala estuviése colocada una chimenea. Maravilloso ¿verdad?, pero cuando pierde los estribos representa la verdadera imágen de Hulk: "El Hombre Verde". La causa de su mal humor nace de las alteraciones nerviosas... Bueno, pero usted consigue darle vuelta rápida a la hoja y encuentra fácilmente la manera de borrar la impresión agresiva que causó a quienes le vieron transformarse... En el amor cultiva la fidelidad y más aún cuando encuentra a su alma gemela; la comprende y cuida de ella exageradamente. En el aspecto sexual es muy apasionado. Posee verdadero éxito en los negocios donde puede obtener auténticos logros financieros, debidos sin duda a su sensibilidad y fuerza de trabajo. Salud, magníficamente aspectada, felicidades...

CANCER-GEMINIS: Amante de la superación, su búsqueda existencial cobra gran importancia en el transcurso de su vida, pues casualmente requiere desarrollar el intelecto para sentirse feliz. Cuando adquiere un nuevo conocimiento lo transmite fácilmente a quienes deseen escucharle... Poseedor de modales refinados, rechaza la vulgaridad, porque íntimamente la repele... La naturaleza le dotó de un gran carisma o duende, como le llaman los hispanos, el cual le beneficia, especialmente para atraer al sexo opuesto... Le agrada convertirse en el alma de la fiesta porque es un gran conversador lo cual aunado a su atractivo físico le da una imagen dulce... Algunas personas le adjudican el calificativo de "inestable" y, bueno, tampoco es para negar totalmente dicha apreciación, pero usted se divierte y eso le interesa básicamente... En el amor tiende a ser demasiado exigente, motivo por el cual se unirá varias veces ya sea, ante el juez o simplemente vivirá en unión libre... Exito asegurado en la literatura, las relaciones públicas, el turismo y todas las actividades que le permitan demostrar su creatividad...

CANCER-CANCER: El nacido bajo este doble signo, es exageradamente tímido; con frecuencia evita externar sus conceptos porque teme quedar en ridículo pues lo califican de perfecto. Retraído natural, dificilmente intenta superar el complejo a fin de expresar abiertamente sus ideas. Prefiere un ambiente tranquilo para trabajar así como para disfrutar su vida íntima. No acepta las críticas, porque sabe perfectamente que estas aumentarían sus múltiples dudas existenciales, además bajo presión tiende a cometer graves errores. Le agrada sostener variados monólogos internos y cuando decide algo es una persona determinante. Debido a su hipersensibilidad busca una pareja que acepte su "extraño" comportamiento... Una de sus cualidades es la fidelidad, en la cual basa sus relaciones sentimentales. Recordemos que debido a su timidez le resulta difícil externar abiertamente sus emociones. En el aspecto sexual es tierno, hecho que sin duda atrae a algunas personas. Gran talento artístico y facilidad para realizar trabajos intelectuales... Salud buena pero debe cuidar de los bronquios y el estómago.

CANCER-LEO: Se desubica inconscientemente, porque en su yo interno se plantea grandes contradicciones. Inclinado a imponer su criterio rechaza las órdenes. Incluso al carecer de su independencia se puede convertir en una persona frustrada. Necesita dominar los impulsos negativos y desterrar la idea de sentirse marginado e incomprendido. Para usted la belleza es importante, la admira en el arte y en los seres vivientes. En el amor pasará algunos sinsabores antes de encontrar a la persona definitiva, pero en confianza le diremos que un gran número de personas afines a usted contraen matrimonio únicamente para llenar un requisito social... Sexualmente, apasionado. Líder nato, éxito en la política...

CANCER-VIRGO: Tendencia a juzgar severamente a su prójimo, lo que debe aprender a evitar para no atraer la mala voluntad de la gente... Tiene ciclos en los que su comportamiento es muy desordenado y otros diametralmente opuestos... Su orden exagerado comienza durante el tránsito de Virgo y finaliza cuarenta días después... Tiende a ser egoísta en el dinero y los bienes, incluso algunas personas le califican de avaro; pero en el fondo usted teme quedarse en la miseria... Requiere cuidar sus amistades y evadir los comentarios sarcásticos en torno a ellos, asímismo necesita frenar sus impulsos o se quedará solo... Sexual y sentimentalmente busca la perfección, pero al no encontrarla se convierte en una persona inestable... Cuando a temprana edad decide unirse a una persona es porque el temor hacia la soledad está más latente, entonces procura ser fiel y hogareño... Exito en las finanzas, los negocios y el periodismo...

CANCER-LIBRA: Sensibilidad muy artística indicada para ejercer cualquiera de las Bellas Artes... Debido a su juicio crítico del arte, es precisamente ahí donde puede encontrar una forma de expresión perfecta; pero debe vencer la timidez y obviamente la inseguridad que con lleva... En el amor teme ser incomprendido y le parece difícil identificarse con alguien plenamente. Además siente una especie de placer cuando discute ya sea con su pareja o con las personas que le rodean. Sexualmente es imaginativo y le gusta compartir sus experiencias con la otra persona... Le agrada cuestionarse y a veces le parece imposible comprenderse a sí mismo, entonces la desesperación se apodera de usted y asume una actitud negativa. Se le aconseja dar rienda suelta a su imaginación para evitar la consabida frustración... Talento para triunfar en la literatura, la fotografía y el periodismo. Claro siempre y cuando logre superar sus temores... Salud, bien aspectada...

CANCER-ESCORPION: Dificilmente externa sus verdaderos sentimientos; la oratoria no es precisamente su mayor cualidad, incluso aparenta una frialdad muy lejos de sentir, realmente... Muy sensual piensa que las relaciones íntimas conforman gran parte de su vida. Tardíamente alcanza la madurez emocional, porque gran parte del tiempo lo dedica a soñar y otra a intentar el cumplimiento de sus ideales... Durante los primeros años de vida desconoce el término "fidelidad" lo cual obedece a su curiosidad y esta le lleva a conocer a muchas personas. Cuando entrega su amor lo hace verdaderamente; entonces prefiere ser leal... Exito asegurado en las actividades esotéricas, los negocios y el arte en cualquiera de sus manifestaciones... Salud un tanto delicada; el estómago merece atención especial...

CANCER-SAGITARIO: Autoritario, pero razonable... Discute cuando alguien intenta rebatirle algún concepto, pero difícilmente pierde los estribos; espera con paciencia que el tiempo sea el encargado de darle la razón... De carácter jovial le agrada rodearse de gente poderosa cuyas ideas sean tan brillantes que le sirvan para retroalimentar sus conceptos... Le agrada viajar con el fin de conocer nuevos horizontes, además considera aburrirse cuando permanece mucho tiempo en un sitio... Sociable nato, disfruta plenamente de aventuras y reuniones, procura vivirlas con intensidad... Cuando afronta una deslealtad, rara vez la puede disculpar; usted no admite la traición porque sería incapaz de cometerla... Le desagradan las personas frívolas y arribistas, obviamente cuando busca a su pareja ésta debe ser una persona inteligente y de conceptos muy profundos. Huye de las personas que, valiéndose del acto sexual, chantajean a su pareja... Exito en las actividades donde le permitan tener subordinados... Salud, excelente...

CANCER-CAPRICORNIO: La amistad es para usted fundamental y por lo tanto le parece difícil entregársela a cualquier persona, aseguraríamos que sus amigos se cuentan con los dedos de las manos y sobrarían... Adicto al trabajo, no se impone horarios cuando debe cumplir una misión laboral, incluso se olvida hasta de usted mismo. Su ley es la del progreso y en aras de alcanzarlo sacrifica su vida personal, recuerde no todo en la vida es trabajo y de vez en cuando el recreo no dañará sus planes... Altamente sensual le agrada compartir el acto sexual con personas imaginativas; rechaza a quien pueda "improvisar" en la intimidad... En el amor busca alguien tan responsable como usted, huye de quien le parezca desobligado dicha reacción la aplica en cualquier aspecto de la vida... Triunfará en cuanto se proponga, de ello no hay duda sobre todo después de leer la descripción anterior... Salud, maravillosa.

CANCER-ACUARIO: Inestable por naturaleza, le parece difícil tomar decisiones importantes. Le agrada escuchar los problemas de la gente y ayudarle en la búsqueda de una solución adecuada. Incluso posee secretos, pero jamás los revela; aún cuando se enfade con quien le confío sus intimidades... Secretamente le agrada la política, actividad en la que podría realizar gran parte de sus ideales... Cuando se propone una meta no vacila en tratar de alcanzarla, pero debido a su enorme creatividad corre el peligro de quedarse en el intento. Con frecuencia la gente tiene un concepto erróneo de usted pues le califica de "caprichoso", porque le ven como una persona que le gusta nadar contra la corriente, pero están rotundamente equivocados... En el aspecto amoroso estudia con lupa a su compañero (a) y de no convencerle se aleja silenciosamente para ir en busca de alguien en quien depositar su cariño... Sexualmente desea complacer a su pareja y en la madurez le agrada la exclusividad... Salud, perfectamente bien aspectada... Exito en las actividades que le permitan viajar.

CANCER-PISCIS: Nativo espiritual e intuitivo, le agrada compartir las alegrías y sufrimientos del prójimo... Dotes de clarividente, precisa acontecimientos importantes ya sea de acuerdo a sus presentimientos o sueños, los que por cierto usted solamente descifra. Se le recomienda cargar sus baterías energéticas frente al mar, simplemente observándolo y dejándose guiar por su desarrollada intuición... Debido a su espíritu altruista jamás amasará grandes fortunas, le agrada conformarse con lo indispensable; aún cuando a veces piense lo contrario; pero desea el dinero para repartirlo, como lo hacía Robin Hood, entre los más necesitados... Para usted la fidelidad no representa sacrificio cual ninguno la regala, pero... cuando se siente engañado recrimina tan falaz comportamiento; a su juicio inadmisible... Sexualmente es tranquilo, lo físico no le domina, concede mayor importancia al comportamiento espiritual de una persona. Triunfo en la literatura... Salud, débil; pero no requiere mucho cuidado.

ASCENDENTES DE LEO

LEO-ARIES: El nacido bajo esta influencia admira la belleza en todas sus manifestaciones. Cuando llega a ofender a una persona, jamás se retracta, porque no acostumbra disculparse hecho atribuído a su carácter orgulloso... De recia e incluso agresiva personalidad nunca admite sugerencias, nació para líder y sabe perfectamente su posición frente a la vida... En el amor es inmaduro y le atraen las aventuras. Intensamente apasionado aprovecha tal cualidad para dominar sexualmente a su pareja, solo que al verla enamorada pierde el encanto, entonces la cambian por otra persona. Desconoce el remordimiento... Talentoso, prefiere canalizar su energía en el trabajo o en los negocios que generalmente son propios, donde a base de esfuerzo adquiere gran prestigio. Difícilmente conocerá a un LEO-ARIES que viva en la inopia, el siempre hallará la forma adecuada de atraer el dinero. Salud maravillosa, después de los 50 años requiere vigilar su corazón y las migrañas...

LEO-TAURO: Su felicidad radica, principalmente, en la posesión de los bienes materiales y el prestigio que conlleva su éxito financiero... Pero no todo se reduce al hecho de amasar fortuna, también disfruta de las reuniones, especialmente las organizadas dentro de su hogar, donde cimenta su verdadero reino... Huyen, de las personas a quien ellos cataloguen de "mediocres", no soportan la pobreza, sin embargo cuando afrontan graves problemas económicos los solucionan con ecuanimidad... Adoran a su familia, porque son hogareños... Atractivos para el sexo opuesto, disfrutan plenamente las relaciones sexuales y valiéndose de estas dominan a su pareja... Exito asegurado en los negocios, gozan de excelente reputación...

LEO-GEMINIS: Le molesta profundamente que alguien se "atreva" a desobedecerle, usted es tan responsable que una contra-orden perjudica, de acuerdo a su criterio, la buena imagen forjada a base de responsabilidad y sacrificios personales... Lucha denodadamente por superarse en todos los aspectos de la vida e invierte gran parte de su tiempo en estudiar cosas nuevas... Le agrada viajar para librarse de la rutina... Posee el don de la elocuencia y gracias a él obtiene cuanto desea... Sentimentalmente, prefiere una persona tranquila y de modales refinados, pero básicamente busca quien apoye sus ideales... Sexualmente cálido vive tórridos idilios... Exito asegurado en la literatura, los negocios o cualquier tipo de actividad en la que necesite tratar gente... Salud magnífica, unicamente prevenga enfermedades del pecho...

LEO-CANCER: Su futuro económico está asegurado en los negocios, porque conoce la fórmula para obtener el éxito material; jamás padecerá escasez de dinero. Referimos lo anterior ya que a usted le interesa el tema... Goza de atractivo hacia el sexo opuesto, claro siempre y cuando usted sea hombre; porque las nativas alejan a sus pretendientes con su carácter dominante... Exige demasiado a la persona y más aún tratándose del plano sentimental, sabemos que es un perfeccionista y difícilmente admite errores... Le halaga el éxito alcanzado a base de inteligencia y carácter... Fama tanto en los negocios como en cualquier manifestación artística... Evite el egoísmo, sobre todo en el aspecto sexual.

LEO-LEO: Muy dominante, pero si desea vivir feliz tendrá que controlar su carácter, de lo contrario terminará sus días en soledad... En el aspecto sentimental existe una marcada tendencia a idealizar al ser amado, pero además no repara en exigirle demasiado... Sexualmente impetuoso, posesivo y muy apasionado, se enorgullece de ser buen amante... Cuando se enfada la nobleza de su alma vence el enojo, pero debe ahuyentar la soberbia para ganar amistades sinceras... También requiere controlar la pereza, porque aún cuando le interesa el dinero quiere obtenerle fácilmente, lo cual sabemos que es ¡imposible!... Exito maravilloso en todo lo referente a actividades intelectuales, no lo desaproveche... En la salud requiere vigilancia en las enfermedades cardiacas.

LEO-VIRGO: No desperdicie el talento que tiene para triunfar en los negocios o en el arte, debido a su costumbre de analizarlo todo, las oportunidades se le escapan frecuentemente de las manos. Podría decirse que usted jamás se deja llevar por los impulsos, porque teme fracasar, de ahí nace su mente analítica, nunca da un paso inadecuado y dicha situación se repite en todos los aspectos de su existencia... Espía, sí, las reacciones del prójimo y solamente entrega su amistad a quienes llenen su patrón de requerimientos morales... Introvertido nato, da la impresión de ser tímido más no por la causa anteriormente señalada; necesita observar menos y actuar más especialmente en el campo laboral... En el amor aplica sus normas de conducta y procura unirse a una persona leal que también sea fanática de la limpieza... En el aspecto sexual, practica la fidelidad, le desagrada la persona promiscua... Triunfo en cualquier actividad intelectual... Salud, bien aspectada.

LEO-LIBRA: Indiscutible talento artístico ... Idealiza la perfección; enfrenta conflictos emocionales cuando las cosas no salen como usted las desea... Frecuentemente confunde la amistad con el amor; le agrada dedicarse a una sola persona, no obstante debido a su combinación astrológica posee marcada tendencia a contraer matrimonio más de una vez –aunque toda regla tiene su excepción... Goza de gran popularidad con el sexo contrario les atrae su amabilidad e inteligencia–... Evita discutir; prefiere callar a defender sus ideas... Salud, excelente; triunfo económico en negocios donde el arte esté de por medio...

LEO-ESCORPION: Carácter difícil, pero estable... De recia personalidad: enigmática e imperativa... En lo sentimental exige como pareja a una persona inteligente y de bello físico de no llenar tales requisitos se avergüenza de ella... A través de su vida lucha por el reconocimiento y lo obtiene debido a su tenacidad e inteligencia natural... Cuando bromea lo hace ingeniosamente; rechaza chistes carentes de un fino sentido del humor... Requiere dominar su natural don de mando; recuerde siempre debe tomar en cuenta la opinión de las personas... Alcanzará grandes triunfos en aquellas actividades donde pueda mostrar sus dotes artísticas.

LEO-SAGITARIO: Maravillosamente aspectado, posee la fuerza del león y la inteligencia del famoso "Arquero". Trátase de una persona ciento por ciento creativa, pero requiere aprender a dominar su energía... Uno de sus máximos anhelos es vivir en un ambiente refinado y confortable... Si pierde los estribos, sabe disimular su enojo, sobre todo cuando las cosas no marchan como lo desea. Le disgusta el estancamiento razón por la cual se convierte en una persona hiperactiva. Posee una inteligencia fuera de serie, pero requiere aplicarla adecuadamente... Su filosofía acerca del dinero se reduce a: "no puedo guardarlo, debe de rodar" y bajo tal premisa siente gran placer en compartirlo, especialmente con su familia, pero necesita ahorrar porque su bohemia puede atraerle problemas en la edad madura... Imaginativo sexual y muy ardiente...

LEO-CAPRICORNIO: Inflexible ante los errores, propios y ajenos... Tiene excelente aspectación en el dinero, ya que además posee la gran cualidad de trabajar incansablemente para obtenerlo; pero debe cuidar de no caer en la avaricia, ya que para usted lo más importante es salvaguardar su cuenta bancaria. Desconoce los horarios cuando se trata de trabajar, detesta la irresponsabilidad... Lo sacrifica todo a cambio del éxito y al lograrlo se afana de poseerlo... En el amor necesita ser más condescendiente; monta en cólera cuando su pareja derrocha su dinero... En el aspecto sexual le atrae una persona bella, apasionada y carente de prejuicios... Triunfo en cualquier actividad. Salud, bien aspectada.

LEO-ACUARIO: Afronta gran lucha interna, le parece difícil aceptar la realidad existencial... Debido a la influencia de su signo natal a menudo encuentra la solución a sus problemas ya sean internos, amorosos o laborales... Carácter un tanto contradictorio, porque vive confuso entre lo verdadero y lo irreal. Inteligente natural, debe alejar los pensamientos negativos para ser feliz... La sinceridad es una de sus armas poderosas solo que necesita utilizarla muy bien; pues hiere sin pensarlo a la gente. En el amor es inquieto, pero cuando se relaciona con una persona inteligente le regala su fidelidad... Comportamiento sexual extremista; abarca desde la frialdad absoluta hasta la fogosidad total... Exito en la administración de bienes propios y ajenos... Salud, bien aspectada.

LEO-PISCIS: Le preocupa el bienestar ajeno y propio, atribuible a su gran capacidad para dar y recibir amor... Filántropo nato, censura íntimamente a las personas egoístas. Cuando entrega su amistad lo hace desinteresadamente y sí alguien traiciona, su confianza perdona el proceder, argumenta: "es su problema, quedó en ella, mi conciencia está libre de culpa"... Los temas ocultos ejercen gran fascinación en usted... Todos los días se esfuerza por madurar espiritualmente y superarse en sus actividades cotidianas... Considérese una persona afortunada y de nobles sentimientos y estos precisamente serán la base de su éxito social.. En el amor busca a una persona que tenga cualidades semejantes a las suyas... Sexualmente es leal, porque no admite la promiscuidad... Salud regular, necesita vigilar su corazón y el sistema nervioso...

ASCENDENTES DE VIRGO

VIRGO-ARIES: Cuando una persona de estas características fija una meta en su vida la alcanza; tiene las suficientes cualidades para atraer y retener el triunfo, posee la disciplina conferida por el signo natal y el carisma ariano... Poseedor de una energía fuera de serie, causa la impresión de ser inagotable en el trabajo y en el amor... Excelente organizador, le fascina tocar el fondo de las cosas; detesta lo superficial; en fin está realmente comprometido con la vida e invierte una gran carga energética para avanzar en sus propósitos... Generalmente profesan lealtad a su pareja y conste que sexualmente son muy apasionados... Exito en cualquier actividad que implique disciplina... Gozan de estupenda salud.

VIRGO-TAURO: Personalidad carismática, atrae como imán al sexo opuesto, usted recibe los dones conferidos por la Diosa Venus, triunfa rotundamente en el amor... Considérese un gran amante, romántico nato, le atraen los ambientes íntimos y sensuales... En el trabajo es creativo, inteligente y ordenado, gran parte de su éxito se basa en dichas cualidades... Rehuye a las personas desubicadas pues las clasifica como seres poco "confiables"... De carácter jovial siente especial satisfacción cuando proporciona ayuda a sus semejantes... Disfruta los placeres de la vida con verdadero deleite, es un auténtico sibarita, aunque paradójicamente no le obsesionan las posesiones materiales, pero siempre obtiene lo necesario para vivir confortablemente... Inagotable en el aspecto sexual, conoce el arte de complacer a su pareja... Cualquier profesión elegida por usted es la adecuada para triunfar... Salud ¡maravillosa!

VIRGO-GEMINIS: Durante los primeros 30 años de su vida carece de estabilidad. Luego alcanza madurez emocional y fortalece su economía, pues se convierte en una persona responsable sobre todo en el aspecto familiar, asegura: "ya causé demasiada tribulaciones, es tiempo de asentar cabeza y de cambiar"... Lo anterior lo toma como una consigna, especialmente al descubrir su talento para ganar dinero a manos llenas, usted sabe, la influencia de venus y mercurio son fundamentales en su éxito... Disfruta su éxito, charlar y rodearse de personas intelectuales para retroalimentar sus conocimientos... Le desagradan las explicaciones a medias, prefiere una verdad amarga a una dulce mentira, porque usted tiene el suficiente talento para descubrirla, apoyado de hecho en su poder analítico... En el amor y el terreno sexual procura la fidelidad, pese a su atractivo físico... Triunfo en cualquier género de negocio o actividad intelectual. Salud perfecta...

VIRGO-CANCER: Poseedor de la fórmula para ser un ingenioso agudo, pero muchas veces la guarda para si mismo ¿Motivo?, prefiere callar, pues le representa un gran esfuerzo expresarlo con palabras, pero cuenta con gran capacidad para escribir sus pensamientos, no la desaproveche... Debido a su sexto sentido y capacidad analítica detecta instintivamente los engaños y difícilmente los perdona... Ideas positivas, desea lo mejor para la sociedad... Rechaza las conversaciones triviales especialmente las de su pareja a quien deja tomar la iniciativa ello debido a su carácter introvertido... Intimamente encuentra la forma de mostrar su pasión... Triunfo asegurado en las letras y el dibujo porque a través de este puede desfogar sus pensamientos...

VIRGO-LEO: Amante de la belleza y de la perfección... Inteligente, suele desafiar a sus oponentes con argumentos basados en la verdad... Marcada tendencia a exagerar el orden, sobre todo el de su hogar... Disfruta plenamente del lujo, acompañado del confort. Le agradan las reuniones sociales, pero le es difícil aprender a escuchar a la gente... Requiere vencer su tendencia ególatra... Talento en los negocios y en las actividades artísticas, puede combinar ambas facetas... En el amor y el sexo desea acompañarse de personas educadas, pues rechaza las manifestaciones vulgares; de temperamento ardiente; pero fiel a su pareja...

VIRGO-VIRGO: Poseedor de un sentido del humor muy "especial" que debe cuidar porque tiende a incomodar a las personas... El aspecto económico representa solamente un medio en su vida, pero no le considera esencial. Suele aparentar una frialdad que dista mucho de sentir. Admira a las personas inteligentes... Fanático irredento del orden y de la limpieza, incluso para mucha gente puede resultar “chocante”, pero jamás cambia su forma de ser, porque tiene carácter hiperfijo... Ama apasionadamente a su familia; la cuida y provee de lo necesario. Le agrada vivir en armonía... Busca denodadamente la perfección espiritual. Al contraer matrimonio exige reciprocidad en su pareja a quien le profesa fidelidad: “hasta que la muerte los separe”... Exito en las actividades intelectuales, administrativas y artísticas. Salud maravillosamente aspectada...

VIRGO-LIBRA: Aparenta escepticismo, pero le atraen los temas “ocultos” y la lectura relacionada a éstos... Verdadera devoción hacia el arte en cualquiera de sus manifestaciones... Gusta de polemizar con las personas para demostrarles sus conocimientos adquiridos a base de estudios y les habla sobre la experiencia obtenida... No acepta ningún reproche por considerarse “perfecto”. En cuanto a la salud, requiere vigilancia médica del sistema nervioso, porque debido a su hipersensibilidad a menudo le afecta, por lo que necesita tranqui lidad absoluta tanto en el hogar como en el trabajo... En el amor, suele comportarse indeciso, pero básicamente exige perfección; recuerde todavía hay humanos... Económicamente prefiere los trabajos estables, pero tal situación podría llevarle al conformismo...

VIRGO-ESCORPION: Cuando logra vencer la timidez, se convierte en una persona famosa. Adquiere, inteligentemente, puestos de responsabilidad en el trabajo. Una de sus mayores cualidades es la de ser justo, defiende las causas nobles, muchas veces por encima de intereses propios. De proponérselo alcanzaría un gran éxito en la política; la practica inconscientemente, porque nació con dicha capacidad... Encuentra a su "media naranja" cuando se deja guiar por la intuición; presiente la felicidad o la desgracia, pero su mente analítica muchas veces le impide aceptar la realidad previamente dictada por su corazón. El trato sexual es básico en su vida y lo considera un verdadero rito, por lo que usted es una persona imaginativa y cálida...

VIRGO-SAGITARIO: Destacará por ser un gran estudiante. Luego, obtendrá grandes triunfos en la carrera seleccionada por usted. Debido a esta combinación puede aunar la disciplina al talento, atributos requeridos para alcanzar la cúspide. Su excelente memoria fotográfica, hace que jamás olvide a una persona hecho que sin duda apoya un merecido éxito... Otra de sus cualidades es la formalidad; cuando empeña su palabra la cumple y nada existe sobre la tierra que le aparte de la decisión tomada la cual seguramente analizó a fondo... En alguna etapa de su vida le pareció imposible ser fiel, pero después cambió su forma de actuar. Sexualmente es muy cálido, pero de acuerdo a usted le agrada la exclusividad y como dice la canción: “No con cualquiera”... Salud maravillosa solamente requiere vigilar el sistema nervioso que podría ocasionarle ronchas cutáneas...

VIRGO-CAPRICORNIO: El mejor aspectado de los Virgo, posee el equilibrio perfecto: inteligencia, orden y tenacidad, don conferido a la cabra. Debido a estas cualidades obtiene puestos de suma importancia que desempeña con verdadero éxito, sabe perfectamente que de ahí dependerán futuros ascensos o bien; para salvaguardar su estatus y vaya que le agrada vivir bien... El nativo bajo esta combinación desconoce el término “miseria”; posee la fórmula exacta para atraer el dinero... Debido a su mente “abierta”, permite acceso a la felicidad, le fascina adaptarse emocionalmente, aunque muchas veces dá la impresión de austeridad. En el fondo es un romántico incurable... Le agrada vivir en pareja, porque es un amante indiscutible del hogar... Sexualmente es muy apasionado... Triunfará en cualquier profesión... Salud, muy bien aspectada...

VIRGO-ACUARIO: Tradicionalista recalcitrante... El nacido bajo esta combinación astrológica observa normas de conducta indestructibles. Incluso, le parece difícil aceptar hechos de la realidad actual, prefiere vivir su mundo construído mentalmente por él, de ahí que sea una persona retraída y moralista. Teme abiertamente el trato con gente liberal. Prefiere a quien sea tradicionalista. No contrae matrimonio hasta que encuentra reciprocidad de ideas, lo cual obviamente le lleva mucho tiempo, pero no le interesa invertirlo... Sexualmente desea a una persona tranquila pero le agrada complacer a su pareja... Requiere aprender a dominar su carácter que muchas veces puede ser contradictorio... Exito en cualquier profesión intelectual; pero jamás en las ventas, porque nunca se realizará...

VIRGO-PISCIS: Su corazón es muy amplio para darle cupo a sus múltiples amores, por tal motivo le parece difícil comprometerse en matrimonio, sobre todo en los años juveniles cuando desea vivir intensamente... Notable debilidad hacia el sexo contrario, pero no censurable, porque nos encontramos frente a un enamorado del amor... Dueño de un carácter jovial; va por el mundo repartiendo miel... En cada persona o lugar encuentra algo positivo. Esta misma actitud la asume en todos los aspectos de la vida, pero cuando observa el más pequeño índice de vanalidad se aleja inmediatamente de esa persona... Le agrada exponer sus ideas y aún cuando sea idealista, cuida de no caer en el ridículo debido a su hipersensibilidad tiene la intuición para detectarlo y si algo le incomoda realmente es la burla propia o ajena. Económicamente le parece imposible ahorrar, hecho que podría transtornar su vida, especialmente en la edad avanzada... Salud delicada, requiere vigilar el sistema nervioso.

ASCEDENTES DE LIBRA

LIBRA-ARIES: Combinación muy difícil, debido a su carácter indescifrable; debe aprender a controlarlo, especialmente cuando agrede a las personas... Disfruta al provocar una polémica, la entabla por el simple hecho de sentirse importante, obviamente acarrea enemistades... Persona emotiva; controle sus emociones para evitar errores de cualquier índole... Altamente creativo, debe cultivar sus dotes artísticos... En el amor carece de confianza, hecho que le propicia celos desmedidos... Impetuoso sexual, le agradan las aventuras románticas y fáciles aunque después las deseche precisamente por no haberles invertido el tiempo necesario... Debido a sus múltiples facetas jamás le faltará el dinero, pero necesita cuidarlo, ya que puede caer dentro del consumismo innecesario... Salud, bien aspectada. Después de los 40 años requiere vigilar las enfermedades renales y las gastrointestinales... Bien aspectado para los trabajos artísticos, donde su temperamento no será criticado...

LIBRA-TAURO: Goza de una gran simpatía y usted lo sabe; los dotes venusinos en su máximo esplendor. Generalmente el nativo nacido bajo esta combinación tiene rasgos físicos agradables y atrae fácilmente al sexo contrario; quizás el éxito se deba a su carácter dulce y ecuánime; precisamente la sensualidad es el punto más vulnerable que tiene... Incluso le agrada compartir su tiempo con personas de gustos afines... Al contraer matrimonio se convierte en devoto de su hogar y de la familia, conocemos a una persona con estas características que abandonó a su esposo por ser estéril; nos consta que le amaba demasiado. Por cierto este nativo, pese a su temperamento ardiente, evita comprometerse en aventuras que dañen su matrimonio, protector incansable de la familia la provee de cuanto sea necesario, pues tiene pánico de perder su estabilidad familiar... De magnífica salud jamás abandona el trabajo a causa de una enfermedad... Triunfo asegurado en las relaciones públicas y en los negocios...

LIBRA-GEMINIS: Para realizar sus actividades requiere concentración; atribuible a su distracción natural. Por su mente atraviesan todo género de ideas y desde luego fantasías las cuales sabe callar perfectamente, pero las confunde –muchas veces– con la realidad... Le agrada demostrar su romanticismo y el resultado es fácil de adivinar, pues goza de gran aceptación con el sexo contrario. Cuando decide contraer matrimonio se convierte en un intachable esposo y posteriormente en un magnífico padre de familia, pero se casan con quien menos imaginaron... En el sexo es medianamente apasionado, pero lo suple con detalles melosos. Posee el don de la elocuencia y facilidad para amasar fortuna...

LIBRA-CANCER: Disfruta, plenamente de su hogar, lo considera su fortaleza. Detesta la desorganización en su casa y cuando la afronta prefiere huir a otro lado... Procura el bienestar familiar y suele vigilar su desarrollo moral, capaz de adivinar cualquier cambio, prevee conflictos y encuentra la manera de evitarlos... Le desagrada la gente mentirosa o fantasiosa, usted tiene la capacidad para detectarla inmediatamente... Para triunfar necesita vencer la inseguridad, porque ésta aleja el éxito tanto en el amor como en su trabajo... Sexualmente prefiere a una persona que tome la iniciativa... Salud delicada, merecen especial atención las enfermedades gástricas y renales... Sensibilidad a flor de piel.

LIBRA-LEO: Poseedor de una gran energía, ello le confiere fama de ser "incansable"... Para usted la conversación es un arte, pero evita las charlas superficiales, porque le desagrada perder el tiempo. Se rodea, generalmente, de personas cultas que le ayuden a retroalimentar sus conocimientos... Debido a su carácter con tendencias dominantes podría convertirse en el terror de la familia, por favor, controle sus impulsos y sobre todo su deseo de convertirse en líder y créanos, se evitará incontables problemas... Cuando emprende un trabajo no lo deja hasta finalizarlo y ello le atrae la admiración de las personas... Sexualmente, es muy apasionado; pero difícil de complacer, ello le motiva a cambiar de pareja. Incluso tiene fuerte inclinación hacia la aceptación del divorcio... Económicamente alcanzará el éxito siempre y cuando se deje guiar por su sensibilidad...

LIBRA-VIRGO: Demasiado analítico, debido a esto difícilmente concluye lo iniciado por usted... Preocupado eterno por el aspecto económico, intenta buscarlo, pero su indecisión de nueva cuenta lo detiene. Teme arriesgarse y dicho fenómeno se presenta en todos los aspectos de la vida... Algunas personas le catalogan como un ser frío y calculador, debemos explicarle que no están del todo desacertadas; jamás toma las situaciones a la ligera... Al dar un paso lo medita incontables veces y es ahí cuando las oportunidades escapan de sus manos... Rechaza las discusiones especialmente las familiares... Fiel a su cónyuge porque desea la paz y en aras de esta puede sacrificar las tentaciones... Salud insuperable... Triunfo en la carrera de filosofía y letras y en la literatura.

LIBRA-LIBRA: Inteligente y perceptivo... Conoce el buen arte de atraer y conservar a las amistades, debido a su capacidad intelectual y rectitud, recibe múltiples favores de la gente por lo cual puede llegar a obtener puestos de confianza importantes... Iniciar discusiones es su punto débil, evítelas aún cuando la razón esté de su parte... Excelente retentiva gran parte de su progreso también se lo deberá a su memoria fotográfica...Inclinado a la bohemia, difícilmente le preocupa el dinero, pero aun cuando no le busque lo encuentra, porque nació con el carisma necesario para no padecer conflictos financieros. En el amor es muy ardiente, pero algunas veces se comporta egoísta... Debe aprender a controlar la pereza y sólo así tendrá éxito... Salud, excelente...

LIBRA-ESCORPION: Demasiado aprensivo, pero sabe esconder los nervios. Carácter fuerte, por ello cuando surge alguna discusión prefiere callar, también asume la actitud de retirarse por algún tiempo y esperar a que pase la tormenta... De fértil imaginación le atraen los trabajos creativos y artísticos. Procura ser sincero; rehuye la falsedad o en todo caso prefiere guardar silencio... Imaginativo en el terreno sexual quienes le tratan íntimamente jamás le olvidan... Durante sus años juveniles son aventureros ya que, su punto débil es la sensualidad donde son muy creativos; reconocen de inmediato el punto débil de su pareja y la complacen apasionadamente, pese a lo anterior son muy espirituales; en el amor buscan a una persona limpia en todos los aspectos. Por lo general traen un libro bajo el brazo para nutrirse de conocimientos. Saben perfectamente que:"no solo de pan vive el hombre"... Salud un tanto débil, deben vigilar el estómago, los riñones; después de los cincuenta y cinco años el hombre deberá atenderse de la próstata y la mujer de algunos desórdenes propios de su sexo... Sensibilidad definitivamente artística y en el arte es donde está su realización... Triunfo en los viajes.

LIBRA-SAGITARIO: Inteligente y perceptivo; sabe como atraer amistades... Debido a su capacidad intelectual y de trabajo logra ingresos y puestos importantes... Para ser completamente feliz necesita rechazar las discusiones... Su excelente retentiva le ayudará a progresar... Desconoce la pobreza en cualquiera de sus acepciones, porque siempre tiene la solución perfecta para resolver los conflictos económicos... En el amor es ardiente y apasionado, pero le disgusta sentirse presionado, no permite que nadie atente en contra de su libertad. Cuando entrega su amor lo hace sin reserva alguna... Bien aspectado para los viajes, especialmente los de negocios donde le espera gran éxito, pues además posee un carácter alegre. Salud, magnífica...

LIBRA-CAPRICORNIO: Detesta abiertamente, cualquier imposición,cuando la siente encuentra, sin dilación, la mejor forma de huir... Libre pensador le disgustan las personas hipócritas y mentirosas. Le fascina reunirse con sus amistades para filosofar, pero como genera diversas actividades le parece un tanto difícil visitarlas... Profesionalismo inobjetable, pues cumple con sus deberes por encima de cualquier circunstancia personal... Le fascina viajar, actividad en la que desahoga sus problemas. Económicamente consíderese afortunado, pues combina perfectamente la inteligencia con la tenacidad... En el amor es apasionado, especialmente en el aspecto sexual... Triunfo en cualquier actividad, porque cuando se fija una meta la alcanza tarde o temprano... Salud, bien aspectada...

LIBRA-ACUARIO: Difícilmente encuentra a su pareja ideal, porque no acepta los errores, además requiere aprender a controlar su nerviosismo y delirio de persecución por cierto altamente desarrollado. Por otra parte, no desea sacrificar ni un ápice de su libertad, jamás la cambiarían por el amor... Le fascina rodearse de amistades y demostrales un gran sentido humorístico... Apasionado hasta la médula por los viajes, huye de la rutina. Cambiar de trabajo o residencia cobra especial importancia en su vida y lo requiere para alejar el aburrimiento... Tiene un especial concepto de la vida; sostiene verdaderos monólogos internos, le agrada filosofar, pero muchas veces olvida sus concienzudos análisis porque abarca de una idea a la otra, atribuible a su enorme creatividad y finalmente no alcanza a comprender muchos aspectos de la existencia... Vigila el aspecto económico porque secretamente teme a la pobreza... Gran sensibilidad artística, éxito asegurado en lo referente a una profesión o actividad que le permita viajar... Sexualmente, procura la exclusividad, a su manera; claro está... Salud, bien aspectada...

LIBRA-PISCIS: Uno de sus mayores anhelos es triunfar económicamente para ayudar a sus semejantes, mente altruista y espiritual... cuando empata emocionalmente con una persona debe reunir características análogas, de lo contrario su vida se frustra. Sexualmente prefiere buscar a una persona de ideas abiertas porque le agrada descubrir placeres sensuales, se preguntará ¿Cómo una persona espiritual se inclina hacia el sexo? Normal en usted, puesto que tiene el arte de separar el físico de lo espiritual; además lo hace sin morbo alguno... Requiere controlar las depresiones causadas por quienes rechazan sus ideas... Triunfo indiscutible en lo referente al arte y la filosofía... Salud un tanto delicada, vigilar el pecho y los pies...

ASCENDENTES DE ESCORPION

ESCORPION-ARIES: Combinación un tanto complicada debido a su carácter impulsivo, el cual debe controlar, porque en un momento de ira podría derrumbar lo que ha construído con tanto esfuerzo. Posee don de mando y carisma de líder; jamás pasa desapercibido, debido a su fuerte personalidad atrae la envidia. Cuando se propone algo, indudablemente, lo consigue pues cuenta con la suficiente energía para realizarse... Moral incorruptible, gran sentido de la justicia... Marcada inclinación hacia la filosofía, pero necesita respetar la opinión ajena... El sexo es básico en su vida motivo por el cual ocupa un lugar primordial. Vive eternamente enamorado del amor y sus frecuentes aventuras pueden ocasionarle cierta desubicación emocional... Triunfará en cuanto se proponga ya sea en los negocios, la literatura, el arte, la medicina o la política esto debido a su gran talento... Salud, un tanto delicada, requiere vigilar lo relativo a las enfermedades de los aparatos reproductores y de la cabeza en general...

ESCORPION-TAURO: Marcada tendencia a vivir en los excesos de cualquier índole, pero básicamente se le recomienda vigilar su alimentación donde existe el gran riesgo de sobrepasarse de peso... Respecto a los otros excesos cuando se decida a triunfar debe alejarlos de su existencia... Detesta revelar los secretos confiados a usted. Callado por naturaleza observa detenidamente la situación y actúa únicamente cuando está seguro de cuanto expone... Le agrada ahorrar su dinero, pero cuando menos lo imagina lo gasta en cosas inútiles... Concede gran importancia a la unión familiar. Luego, no es raro encontrar a una persona de sus características casada a temprana edad, porque usted considera el matrimonio como importante y respetable, además lo necesita para su estatus social... Su hogar representa como una especie de fortaleza... Sexualmente, procura ser fiel, pese a ser uno de los nativos más apasionados del zodiaco... Tendencia a derrochar su dinero en lujos innecesarios, pero jamás le faltará lo suficiente... Salud perfectamente aspectada, solo que los excesos sibaríticos podrían dañar su buena digestión...

ESCORPION-GEMINIS: Mental y físicamente considérese una persona muy afortunada, posee el carisma del Escorpión; la belleza física e inteligencia mercurial... Tantas cualidades le llevan a ser una persona atractiva y de gran suerte para atraer al sexo contrario. Incluso le parece imposible ser fiel, pero cuando se enamora realmente, procura entregarse sin condición al ser amado. Sexualmente imaginativo, debe commportarse discreto y nunca revelar sus intimidades... Comunicativo, despliega mucha energía. Excelente negociante, pero requiere sostener sus puntos de vista sin vacilación alguna. Ganará dinero más fácilmente que el resto de la gente... Salud, en general, bien aspectada...

ESCORPION-CANCER: Madura tardíamente, porque tiene comportamiento infantil... Hipersensible nato, demuestra su gran amor a quienes le rodeen y precisamente por entregarse sin reservas puede sufrir desilusiones durante el transcurso de su vida... Le agrada el matrimonio y cuando se convierte en padre trata a sus hijos como si fuesen niños, sin importarle la edad de ellos... Si el nativo es hombre, no le disgustará cambiar los pañales de sus hijos, cuando se trata de una nativa con este ascendente estamos ante una insuperable madre de familia, preocupada por el bienestar familiar... Le agrada disfrutar plenamente del sexo, pero sabe incluirle una buena dósis de ternura y de pasión... Enamorado de la cultura, conoce intuitivamente el arte de escuchar para retroalimentar sus conocimientos. A veces causa la impresión de ser introvertido, pero ya sabemos la causa, siempre está en la mejor disposición de asimilar cosas nuevas... Sufrirá cierta inestabilidad económica en el transcurso de su vida... Salud, bien aspectada...

ESCORPION-LEO: Intentará parecer idealista, pero jamás lo conseguirá, porque siempre le dominará su interés hacia el aspecto material... Los nativos de esta combinación astrológica poseen carácter amable, pero fuerte y decidido. Nunca admiten opiniones ajenas aún cuando estén a favor de sus intereses... Su mayor problema nace en el seno familiar donde aplica disciplina dictatorial y desde luego se comporta posesivo; convirtiéndose en el terror de la casa, después de todo usted nació para líder y en alguna parte de mostrar sus dotes... Sin embargo, adora su hogar y le agrada recibir amigos, porque es un excelente anfitrión; aunque le molesta cuando alguien llega a su fortaleza sin previo aviso... Si tiene problemas económicos, esperamos lo admita, se convierte en una persona agresiva y por ende colérica. Es recomendable controlar su ambición monetaria y evitará fuertes disgustos, pero debe cambiar de actitud o correrá el riesgo de quedarse irremediablemente solo... Salud bien aspectada.

ESCORPION-VIRGO: Extremadamente analítico, alcanza metas gracias a tan grande cualidad, la que aunada a su poder de concentración; orden y tenacidad le atrae el éxito en cualquier actividad; pero debe frenar su imaginación, pues a menudo le perjudica, se preguntará ¿por qué? verá... Frecuentemente incurre en la grave falta de pensar por los demás; suele adelantarse a los acontecimientos estos muchas veces producto de su fantasía... Inmenso en su mundo, también causa la impresión de ser tímido, pero cuando menos lo imagina hace alarde de su juicio crítico y comienzan los problemas ya que, tiene la "virtud" de criticar severa y francamente... Poseedor de gran intuición o sexto sentido, le atraen los temas psíquicos, nació con ellos, pero busca una explicación científica a los acontecimientos, no se convence plenamente de sus dotes... Goza de verdadero sentido práctico de ahí que se resista para aceptar, plenamente: "lo desconocido". En el amor es apasionado, Venus le confiere atractivo y cierto encanto que le hace irresistible... Talento para triunfar en la literatura y en los negocios, especialmente aquellos que requieran de su imaginación pero... Despreocúpese del aspecto económico siempre hallará la forma de obtener un capital sólido... De ideas fijas cuando se propone algo lo consigue ayudado naturalmente por su fuerza de voluntad férrea... Requiere vigilar el sistema nervioso...

ESCORPION-LIBRA: Oculta muy bien los sentimientos, manifiesta algo; pero siente muy distinto. Paradójicamente detesta las falsas promesas y las mentiras, pero analícelo bien,usted de vez en cuando dice algunas y califica ciertos engaños de "inocentes" porque no desea herir a nadie con las verdades amargas... Frecuentemente cambia de parecer, tal vez se precipitó al tomar una decisión. Esta forma de actuar desconcierta a las personas ligadas a su vida... En el amor padece inestabilidad emocional, pero la mencionada situación dura hasta los 35 años, porque una vez encontrada la persona ideal le entrega su fidelidad incondicionalmente... Al principio de una relación sentimental calla sus verdaderos sentimientos pues teme al rechazo... Sexualmente es uno de los nativos más apasionados del zodiaco, pero debe vencer sus dudas al respecto... Gran habilidad en las finanzas y creatividad artística,en estas dos cualidades debiera centrar sus intereses económicos... Salud: requiere vigilancia en los órganos sexuales y el riñón...

ESCORPION-ESCORPION: Marcada tendencia ególatra... Le agrada recibir, pero difícilmente corresponde a las atenciones; al leer estas líneas, posiblemente acepte tal situación, pero recuerde usted es contradictorio nato... Carácter agresivo sobre todo cuando quiere defender sus intereses... Al tomar una determinación desconoce los términos medios; blanco o negro, pero jamás gris... En el amor desea conquistar lo imposible y, bueno, después de todo se trata de una situación entretenida, porque al obtener lo deseado pierde inmediatamente el interés alejándose de la persona para ir en busca de un nuevo reto. Por lo ya expuesto evite la autodestrucción o se quedará solo, créanos se evitará muchos sufrimientos, los que en apariencia superará... Sexualmente le agrada disfrutar del acto amoroso, pero a veces puede ser agoísta con su pareja. Poseedor de grandes dotes síquicas las cuales muestra desde niño... Verdadero amante del deporte elija, el que más le atraiga y le ayudará a liberar las tensiones nerviosas... Salud maravillosa hasta los 50 años cuando debe iniciar tratamientos para curar enfermedades relativas a los órganos sexuales... Triunfo en cuanto se proponga, vigile de no caer en la tacañería... Indescriptible poder de recuperación ya sea emocional o físicamente...

ESCORPION-SAGITARIO: Le agrada vivir con ciertos lujos... Siente especial fascinación hacia los sitios atractivos. Filosofar constituye uno de sus pasatiempos favoritos. Interesado por el bienestar familiar provee de lo necesario a los seres amados. Cuando busca pareja, ésta requiere múltiples cualidades e inteligencia, pero además la persona elegida debe tener su misma posición social y educación. Muy apasionado en la intimidad; prefiere a quien le demuestre, sin temor, su cariño. Rehuye las prisiones emocionales y económicas para no dañar su estabilidad emocional... Triunfo en lo relacionado a la investigación de cualquier índole... Salud, bien aspectada.

ESCORPION-CAPRICORNIO: Ambicioso nato, busca diariamente superarse, sobre todo en lo económico, gracias a tal deseo puede abarcar múltiples facetas... Bajo esta combinación nace gente "hiperactiva"... Carácter sociable, pero a veces causa la impresión de ser adusto... Admira a las personas trabajadoras como usted y le parece inconcebible la falta de actividad ya sea la propia o la ajena... Cuando recibe una propuesta financiera con futuro la acepta y participa en dicha empresa. Sexualmente es incansable, procura la fidelidad cuando decide comprometerse o casarse... Talento para hacer negocios rápidos y benéficos desde el punto de vista financiero. Salud, bien aspectada.

ESCORPION-ACUARIO: Un tanto inestable, pero analítico... Talento indiscutible para alcanzar todos los objetivos fijados por usted. Durante gran parte de su vida lucha por obtener el reconocimiento social y para ello trabaja sin tregua alguna. Tendencia a distraerse constantemente, situación adversa para usted, porque se atrae múltiples conflictos existenciales... En el amor disfruta de los mejores instantes. Su filosofía le impide recordar lo negativo dentro de una relación sentimental. Cuando siente presiones de tipo emocional, huye tan rápido como se lo permitan sus piernas... Sexualmente desea complacer a su pareja... Amante de la libertad y de los viajes, se puede realizar en cualquier profesión que le permita conservar su idenpendencia, dentro de una oficina atrae la frustación... Salud, bien aspectada.

ESCORPION-PISCIS: Bajo esta combinación nace gente hipersensible, capaz de poder detectar lo más insólito... Fuerte inclinación hacia el estudio, práctica y hasta el dominio de las ciencias ocultas... psíquico nato, combina sus poderes ocultos con el análisis práctico, especialmente después de los 30 años, aunque usted es una de las personas que maduran desde temprana edad. Incluso, no es raro encontrar a un joven Escorpión-Piscis dándole sabios y acertados consejos a una persona adulta... Dotado de un gran carisma obtiene cuanto desea, pero goza al desconcertar a la gente. Cuando alguien desea "investigar" acerca de su vida íntima usted evade las respuestas o miente con el fin de defender su privacía, le desagrada revelar su verdadera personalidad; seleciona a sus amistades cuidadosamente, las acepta con sus cualidades y defectos, pero las jerarquiza; sobre todo a las indiscretas... Tendencia a sufrir desilusiones amorosas, porque tiene el gran defecto de entregarse sin reservas. En el aspecto sexual disfrutará de múltiples aventuras, pero después de los 35 años cambiará radicalmente. Triunfo en el esoterismo, la literatura, el periodismo o la actuación, aproveche sus múltiples facetas... Salud, un tanto delicada vigilar especialmente los órganos reproductores.

ASCENDENTES DE SAGITARIO

SAGITARIO-ARIES: Muy directo en sus conceptos, le agrada tratar gente sincera; cuando le mienten rechaza de inmediato a la persona, bueno, si está feliz con ella únicamente la jerarquiza. Carácter fuerte e impulsivo... Debido a su personalidad e inteligencia, sabe cuando puede triunfar, íntimamente reconoce sus limitaciones, pero las esconde frente a los demás. En general posee una excelente salud, pero no abuse de su capacidad. Le atraen la filosofía y los viajes. Filantrópo natural, procura defender las causas nobles... El amor gira en torno a su vida; representa su fuente de energía, porque le brinda grandes satisfacciones... Sexualmente es fogoso y carece de prejuicios... Trabajador incansable, porque no desea sufrir privaciones económicas... Elija la profesión que le dicte su corazón y en esa triunfará.

SAGITARIO-TAURO: Real amante de los placeres. Persona con mucha inteligencia, pero suele encapricharse indebidamente. Hacer el amor; uno de sus placeres favoritos, podría ocasionarle graves problemas causados por sus múltiples aventuras... Al contraer matrimonio; disfruta plenamente su hogar y profesa gran respeto a su pareja. Sibarita nato disfruta de los placeres de la buena mesa, lo cual podría dañar su metabolismo... Debido a su carisma, atrae a la gente y gracias a sus múltiples amistades obtiene cuanto desea... Salud, maravillosa y triunfo en cualquier trabajo que requiera imaginación...

SAGITARIO-GEMINIS: Nativo de gran creatividad atrae el dinero fácilmente. Cuando entrega su amistad es para siempre y sin limitaciones, estabilidad en lo descrito, pero lamentablemente cuando trata de tomar determinaciones de trabajo le lleva mayor tiempo del normal. Le resulta satisfactorio realizar labores en equipo, con habilidad e inteligencia cumple con sus obligaciones... Le agrada viajar y divertirse... Cuando alguien le expone un problema encuentra la solución adecuada... Tiene la cualidad de saber guardar los secretos confiados, rehuye la indiscreción por considerarla de mal gusto... Sexualmente, prefiere las relaciones sin compromiso, pero cuando logra estabilizarse con una pareja le guarda fidelidad... Como persona creativa asegura su triunfo económico en cualquier tipo de labor que le permita demostrar esta cualidad... Salud, regular; vigile el sistema nervioso...

SAGITARIO-CANCER: El hogar y la familia son para usted lo más importante... Fanático del trabajo se convierte en un excelente "proveedor"; aunque algunas veces le moleste el título, para describir su actuación... Usted no puede permanecer quieto, generalmente busca alguna actividad que le mantenga totalmente ocupado... Su tesoro más grande es la salud, rara vez se enferma... En el amor es leal por convicción, le desagradan los problemas causados por la infidelidad. Para usted el matrimonio es un verdadero sacramento. Dedica gran parte de su tiempo al cuidado de los suyos... Emocionalmente le cuesta trabajo madurar, pero cuando se estabiliza se convierte en la persona anteriormente descrita. Le agrada viajar y divertirse... Triunfará en las actividades de investigación y en la compra o en venta de inmuebles.

SAGITARIO-LEO: Sediento de éxito, busca con inteligencia la manera de obtenerlo; difícilmente se le escapa de las manos, pero debe controlar su carácter impulsivo y dominante. Romántico natural, durante la juventud le atraen de sobremanera las aventuras amorosas, pero claro solamente se tratan de "ilusiones"... En el amor busca personas educadas, inteligentes y de gustos refinados, huye de la vulgaridad, por lo anteriormente expuesto muchas veces le parece difícil encontrar a su pareja ideal... Físicamente le atraen las personas que provoquen admiración, pues eso alimenta un poquito su ego, aunque para contraer matrimonio no busque un ejemplo de virtudes... Sexualmente es muy apasionado y lo demuestra sin tabúes... Dignos de elogio son su talento creativo y su forma de ser extrovertida. Ambas cualidades le brindarán grandes satisfacciones, sobre todo en las actividades laborales... Debido a su poder de observación, usted es capaz de detectar un mínimo cambio en una persona o presentir las situaciones que rodean su existencia... Excelente profesionista, evite alardear de sus conocimientos y alejará muchos enemigos... Salud, bien aspectada, únicamente se le recomienda vigilar el pecho que es la parte vulnerable de su cuerpo.

SAGITARIO-VIRGO: Verdadero amante de la limpieza y el orden; desea atraer la atención de las personas a base de inteligencia... Para usted el trabajo y el dinero van unidos de la mano, pero a menudo puede dejarse llevar por la fantasía e imaginar negocios altamente productivos. Aunque muchas veces le salva su ascendente Virgo y le sitúa, de nuevo, en la realidad... De fértil imaginación, procura alimentarla a lo largo de su vida... Gran talento para organizar viajes, usted podría ganar mucho dinero en dicha actividad... Le agrada leer y cuando se le presenta la oportunidad no la desperdicia, considera su cerebro como un diamante que requiere pulir con frecuencia. En el amor busca la estabilidad y rehuye a las personas indecisas... Salud, bien aspectada.

SAGITARIO-LIBRA: Aparenta ser un tanto distraído, muchas veces actúa de tal forma para desconcertar a las personas... Aunque aquí entre nosotros a veces le resulta difícil concentrarse y para lograrlo busca la tranquilidad... Le interesa la filosofía de la vida y la práctica inconscientemente... Para muchas personas tiene actitudes desconcertantes, porque cambia su ideología, pero ya sabemos que en cierta forma es parte de su juego intelectual... En el amor, procura unirse a una persona sensible que admire la belleza en toda su magnitud. En el aspecto sexual es apasionado y evita hacer alarde de sus aventuras... Defiende al máximo sus puntos de vista, incluso puede caer en la anarquía... En la salud, debe vigilar el sistema nervioso... Triunfo económico en cualquier actividad artística o que requiera creatividad, pero sobre todo en la que no peligre su libertad...

SAGITARIO-ESCORPION: Salud a prueba de fuego, incluso le molesta la gente enfermiza. Inteligente intuitivo, de su boca dependerá el éxito o el fracaso... Seamos explícitos; usted hiere sarcásticamente a sus enemigos y también a sus amistades. En este último caso lo hace sin darse cuenta... Cree perdonar las fallas de las personas, pero realmente no las olvida. De personalidad enigmática y compleja, observa continuamente el comportamiento de su prójimo, debido a ello puede atacar y dar precisamente en el blanco, porque conoce las debilidades humanas... Le interesa el aspecto financiero; trabaja incansablemente para no sufrir privaciones económicas. Y, alégrese, a través de su vida puede amasar verdaderas fortunas, después de todo las obtiene a base de sacrificios... Capaz de levantar un imperio fincado en la audacia y desde luego en el talento... Gran suerte para los negocios de cualquier índole... Altamente sexual, pero a veces egoísta, cuidado por favor... Bien aspectado para los viajes...

SAGITARIO-SAGITARIO: Inteligente natural, desde temprana edad traza sus metas, por lo que se esfuerza para alcanzar el éxito. Poseedor de una carismática presencia y carácter jovial, se adapta a la gente con facilidad... Desea ser comprendido y es ahí cuando, precisamente, puede caer en el egoísmo... No obstante le saca de quicio la injusticia... Incapaz de infringir la ley, la moral o la norma social... Uno de sus máximos placeres es el de sostener largos monólogos internos pues le gusta conocerse a sí mismo... Marcada tendencia dominante, sobre todo le gusta imponer sus órdenes dentro del seno familiar y bueno,después de todo no se le puede culpar, nació con madera de líder... Amante de la libertad se inclina –solo íntimamente– por el amor sin compromiso pero debido a su moral, difícilmente lo podría sostener... Muy apasionado cuando realiza el acto sexual... Exito en las profesiones relacionadas con la abogacía, el trabajo social y la política, indiscutiblemente.

SAGITARIO-CAPRICORNIO: Interesado por su bienestar material y espiritual, posee carácter complejo. Secretamente le atraen las llamadas ciencias ocultas, pero su poder analítico le impide creer ciegamente en estas, incluso busca una explicación lógica a fenómenos paranormales que usted suele vivir. Debe reconocer que debido a su intuición obtiene magníficos resultados a nivel profesional... Altamente responsable cuando se echa a cuestas una tarea, no le importa trabajar horas extras para cumplir debidamente su labor y bueno después de lo anteriormente expuesto ¿aún duda de su éxito? ¡Imposible!, tiene las cualidades suficientes para alcanzarlo... Cuando alguien intenta restarle méritos automáticamente, se convierte en su enemigo... El aspecto económico está asegurado, sabe perfectamente que el esfuerzo acarrea el dinero... En el amor, le agradan las personas centradas e inteligentes... Sexualmente es muy temperamental...

SAGITARIO-ACUARIO: He aquí otro Robin Hood del zodiaco, le agrada defender las causas nobles... Odia las injusticias, es humanitario con todos y se da por entero. Apoya los proyectos idealistas, porque íntimamente se identifica con ellos... Podría obtener fama en la política, que le fascina íntimamente. Debido a su personalidad enigmática atrae a la gente y no le resulta difícil colocarse profesionalmente, ya que, además, es muy inteligente... Exige demasiado en el amor; evita involucrarse con personas frías y carentes de inteligencia. Además se entrega sin reservas a quienes ama por lo que da y pide a cambio lealtad... Capacitado para dirigir empresas ambiciosas...

SAGITARIO-PISCIS: Los sueños y presentimientos deben ser tomados en cuenta, debido a sus dotes psíquicos. Gracias a estos usted podrá resolver sus conflictos existenciales... Inteligentemente busca avanzar profesionalmente y obtendrá grandes reconocimientos; aún cuando el dinero no sea su propósito fundamental jamás le faltará, pues tiene un especial talento para ganarlo. Marcado interés hacia la humanidad, uno de sus máximos ideales es brindar ayuda a sus semejantes... En el amor, busca una pareja comprensiva y estable quien le imprima la suficiente energía para destacar en la vida, pues tiende a deprimirse cuando puede no alcanzar sus objetivos. Altamente apasionado en el aspecto sexual... Triunfo en la filosofía, la literatura y la medicina.

ASCENDENTES DE CAPRICORNIO

CAPRICORNIO-ARIES: Posee carácter recio y don de mando, nació para líder... Carismático, logra metas insospechadas, por lejanas que parezcan... Su bienestar económico es fundamental, para obtener estatus financiero lucha gran parte de su vida... De voluntad férrea cuando se impone una meta la cumple sin importarle los sacrificios... Romántico nato, procura el bienestar de los suyos, no duda en proveerles de cuanto necesiten... Apasionado en el aspecto sexual, reconoce íntimamente el esfuerzo que realiza para ser fiel, porque la lealtad no es precisamente una de sus cualidades. No obstante prefiere la discreción; jamás hace alarde de su éxito con el sexo opuesto... Triunfará en cuanto se proponga, además le atrae recibir el reconocimiento de quienes le conocen; claro sin descartar la posibilidad de triunfar en otros ámbitos ajenos a los habituales... Salud, bien aspectada, pero debe controlar sus nervios...

CAPRICORNIO-TAURO: He aquí otro sibarita del zodiaco... Interesado en mejorar su nivel económico labora sin tregua para obtener el suficiente capital que le permita darse "lujos"... Un ejemplo claro de lo anteriormente expuesto; podría citarse cuando viaja; de no hacerlo en óptimas condiciones, prefiere quedarse a disfrutar plenamente de su casa, la que, apostamos tiene elegancia y confort... No dudamos que externe críticas terribles contra esos jóvenes que recorren el mundo con su mochila a la espalda, para usted sería una situación ¡inconcebible!... Posee la formidable habilidad de transformar lo negro en lo blanco... Su discreción natural le ayuda a triunfar en sus empresas; pero aunada a su capacidad de trabajo, lo relativo al éxito económico ya está dicho, porque además le obtiene por añadidura... Cuando planea algo jamás lo deja inconcluso. Su voluntad de hierro le permite llegar hasta el final de su meta. Francamente con tantas cualidades no se le permite dudar de su capacidad... Disfruta plenamente las relaciones sexuales...

CAPRICORNIO-GEMINIS: Inclinado a combinar el placer con los negocios, pero se desvive por complacer a su pareja, cuando la tiene; porque generalmente vive para hacer dinero; la verdad, posee un sexto sentido que le ayuda a triunfar en las finanzas... De temperamento sensual desea igual correspondencia en el amor... Le agrada la naturaleza, se relaja con solo ver el campo... Carácter extrovertido; jamás teme exponer sus ideas, aunque después las cambie por otras, mejores naturalmente... Tiene facilidad para defender a sus semejantes por lo que obtendría un triunfo insuperable al dedicarse a la abogacia... Salud, maravillosamente aspectada...

CAPRICORNIO-CANCER: Debido a la influencia del ascendente usted es una persona de buen carácter. Poseedor de un gran sentido humorístico; aunque debe admitir que muchas veces podría clasificarse de "humor negro", sobre todo cuando le hace una broma a una persona cercana... Tiene exigencias para encontrar compañía sentimental de ahí que muchos nativos con esta influencia zodiacal no consigan pareja con celeridad... Sí las cosas no marchan adecuadamente para usted, se comporta agresivo e inestable. Por cierto cuando se enfada le parece difícil expresarse... Marcada tendencia egoísta en el aspecto sexual, recuerde, el juego erótico pertenece a dos personas y no a una como usted lo pretende... Suerte en cualquier género de negocios... Salud, un tanto delicada vigilar especialmente las rodillas y el pecho...

CAPRICORNIO-LEO: Busca diariamente la superación en todos los aspectos de la vida, pero evite alardear sobre sus conocimientos, de lo contrario atraerá muchos enemigos, pero tampoco se le puede juzgar severamente, debemos admirar su empeño para obtener el reconocimiento general... Poseedor de gran habilidad para ganar dinero, pero cuando no lo obtiene se agrede así mismo... Carácter violento e imperativo... Una de sus mayores preocupaciones gira en torno al bienestar familiar... En el amor es romántico, apasionado y especialmente detallista capaz de recordar todo acerca de su relación... Sexualmente busca a una persona que sepa corresponder a su elevada sensualidad... Salud, buena, pero después de los 50 años deberá cuidar el corazón y la columna vertebral.

CAPRICORNIO-VIRGO: Una de las personas más conscientes y responsables del zodiaco, otro de sus dones estriba en la autodeterminación, cuando se propone una meta la alcanza a pesar de cualquier obstáculo a presentársele; usted encuentra la forma de vencerlo... Juicio crítico muy desarrollado, el cual muchas veces le impide tomar decisiones rápidas... Verdadero amante del órden y del trabajo, debido a su maravillosa aspectación lucha por vivir cómodamente y lo consigue antes de cumplir los 30 años... Le agrada disfrutar de los placeres sexuales, pero jamás presume sus aventuras... Obtendrá gran triunfo en las actividades: financieras, artísticas o de negocios. Poseedor de un carácter aparentemente tranquilo, porque cuando se enoja pierde los estribos... Al entregar su amistad la otorga sinceramente y sabe conservar a sus amigos... Salud muy bien aspectada, pero requiere vigilar las enfermedades cútaneas y estomacales...

CAPRICORNIO-LIBRA: Defensor incansable de la institución familiar. Procura contraer matrimonio joven... Tal vez por "sana" conveniencia, porque ambiciona la estabilidad emocional y económica, sabe perfectamente que a través de la unión sólida logra vencer a la pereza, recuerde: su ascendente influye en este aspecto. Para retomar el tema del matrimonio le diremos: usted no es partidiario del divorcio y al casarse lo hace con la firme convicción de vivir con su pareja: "hasta que la muerte los separe". Ama a su familia devotamente y lo demuestra en las situaciones conflictivas... Debido a su hipersensibilidad muestra gran interés hacia el arte, pero le agrada más admirarlo que dedicarse a él... Exito asegurado en la venta de bienes raíces y en cualquier tipo de negocios donde puede adquirir prestigio y dinero...

CAPRICORNIO-ESCORPION: Incansable trabajador, pero debido a su fuerte temperamento impone su criterio... Algunas veces causa la impresión de ser introvertido, pero no; simplemente analiza el terreno con el fin de dar pasos firmes... Cuando alguien "osa" imponerle algo, simplemente lo pone en su lugar. Las únicas órdenes que acepta son las propias... Domina perfectamente el arte de amar, revelándose con maestría de amante insuperable. En general, satisface a su pareja por ser altamente imaginativo. Destaca en los negocios debido a su inteligencia y capacidad de trabajo... Reservado, jamás revela los secretos confiados. Estudioso, le fascina viajar, sobre todo para obtener mayores conocimientos, podría clasificarse entre los intelectuales. Salud bien aspectada...

CAPRICORNIO-SAGITARIO: Bajo esta combinación astrológica nacen personas muy dinámicas e inteligentes, pero además trabajadoras. Debido a sus cualidades desconoce las limitaciones. Incluso podría definirse: "audaz"... Confiere gran importancia a los bienes materiales y labora incansablemente para obtenerlos. Debido a su carácter sociable se gana el cariño de la gente quien le ayuda a mejorar su nivel económico. Bien aspectado en lo financiero, analice bien: cuando tiene problemas siempre encuentra la solución adecuada para avanzar positivamente... En el amor, es amable y detallista por ello mismo desconocerá la soledad... Muy apasionado en el aspecto sexual... Exito en cuanto emprenda, es trabajador e inteligente,con dichas cualidades nadie puede fracasar ¿no lo cree?

CAPRICORNIO-CAPRICORNIO: Le fascina recibir halagos, no abuse del ego. Cuando afronta situaciones difíciles es el equivalente del Dr. Hayde y Jenkill, porque no soporta fracasar ya que toma la vida con demasiada solemnidad. Trabajador incansable alcanza metas insospechadas... Marcada tendencia a encapricharse en cosas sin importancia... Posee la gran virtud de hacer grandes y productivos negocios, pero le disgustan los horarios... Altamente responsable en las tareas que lleva a efecto... Vigile de no cuidar demasiado su economía o "ganará" fama de tacaño... Sexualmente apasionado desea reciprocidad de su pareja... Le atrae la estabilidad emocional y generalmente es fiel, porque entre otras cualidades posee ubicación absoluta en todos los aspectos...

CAPRICORNIO-ACUARIO: Poseedor de grandes dotes psíquicos pensador y humanista excepcional... Aprenda a respetar su intuición, por ser la mayor indicadora de su futuro... Los nacidos bajo este ascendente necesitan aprender a manejar su energía y lógicamente beneficiarse con su dominio. Le recomendamos acudir a conferencias de parasicología o leer libros de temas esotéricos. Otra de sus cualidades es la actitud "quijotesca" que asume cuando ve a un desvalido, atribuible a su calidad humanitaria nata... Catalogado como gran amante, pues combina la ternura con la pasión. Se desvive por complacer a su pareja... Triunfo en la comunicación, negocios y la literatura... Salud magnífica...

CAPRICORNIO-PISCIS: Le falta concentración y ubicar plenamente sus deseos... De carácter jovial, motivo por el que algunas personas le ven como: "inmaduro". Le atrae la convivencia en la naturaleza, porque sabe valorarla. Un panorama con palmeras, mar y arena es el idóneo para su recuperación energética: su capacidad creativa aumentaría increíblemente... Sociable nato, disfruta de la compañía de sus amistades, conserva su aprecio a través de los años... En el amor confiere múltiples atenciones a su pareja. Sexualmente apasionado e imaginativo, pero vigile los celos que podrían ocasionarle serios disgustos... Lucha interna, pues no sabe si inclinarse hacia lo material o lo espiritual... Económicamente obtendrá grandes beneficios en la literatura, la investigación y la filosofía... Salud, bien aspectada, únicamente debe cuidarse de las caídas repentinas y las enfermedades cutáneas...

ASCENDENTES DE ACUARIO

ACUARIO-ARIES: Personalidad recia y dominante... Imponer ideas se convierte en su "deporte" favorito. Le disgusta profundamente cuando alguien intenta rebatir sus puntos de vista, por considerarse: "dueño de la razón". Verdadero fanático de la originalidad, pero ¡cuidado! podrían catalogarle de excéntrico... No soporta los errores propios menos aún los ajenos... Le atrae la idea de colocarse en la sociedad, claro, en las más altas esferas: pues no se conforma fácilmente. Cuando no realiza sus deseos se frustra sin remedio... Celoso "natural", pero, admítalo, jamás lo reconoce, porque con increíble maestría, oculta sus verdaderos sentimientos para evitar las burlas ajenas... Sexualmente, aparenta calma, lucha contra su cálido temperamento... Personalidad magnética, triunfará en cualquier trabajo creativo o como gerente de personal... Salud, bien aspectada; requiere vigilar el sistema nervioso...

ACUARIO-TAURO: Difícilmente se conforma con dedicarse a una actividad, por ser incansable y creativo en su trabajo... Cuando se traza una meta no escatima esfuerzo para alcanzarla... Atraído por la fama lucha incansablemente por obtenerla y pese a los obstáculos que se le presenten sabrá vencerlos para adquirir su anhelado prestigio... Marcada tendencia a dominar a familiares, amistades y amores, hecho que podría atraerle múltiples dificultades acompañadas de críticas y soledad... De carácter inestable, algunas veces desea estar en la tranquilidad de su hogar y otras buscan alejarse de él, hecho que provoca el desconcierto de los suyos... Sexualmente es apasionado, pero debe controlar el egoísmo... La salud requiere vigilancia, especialmente en la dentadura...

ACUARIO-GEMINIS: Comportamiento muy inestable, pero de gran talento creativo, el Hamlet del zodiaco: Ser o no ser, es para él la interrogante... Disperso natural, difícilmente alcanza sus metas, porque siempre anda en la búsqueda de nuevas actividades. Cataloga a la estabilidad de: "rutinaria" hecho que le ayuda a superarse en lo intelectual, pues afronta el gran reto de vencer lo cotidiano y realmente lo supera... En el amor es voluble; cuando presiente un estancamiento en su relación huye rápidamente de la persona. Cabe señalar que bajo esta combinación astrológica suelen ocurrir los matrimonios "sorpresa", porque el nativo se une con quien menos lo había pensado... Tiene buen sentido del humor, pero a veces desconcierta con su actitud, pues varía su carácter... De fértil imaginación, posee dotes literarias, domina la oratoria y le agrada viajar... Cuando elige una profesión relacionada a lo anteriormente expuesto triunfará rotundamente... Para concluir, le diremos que en el aspecto sexual tiene épocas activísimas y otras pasivas... De salud bien aspectada únicamente se le recomienda pisar con precaución para evitarse fuertes caídas... No fume demasiado y protegera sus pulmones...

ACUARIO-CANCER: El nativo de esta combinación astrológica, frecuentemente vive preocupado del bienestar familiar, hecho atribuible a los conflictos sucedidos durante su niñez, los cuales por fortuna le ayudaron a catalogar la importancia de tener una familia bien avenida. Incluso, jamás teme al matrimonio, por el contrario se casa joven, es distinto a los otros acuarianos que disfrutan a su libre albedrío de las relaciones sin compromiso... De carácter tímido le resulta difícil exponer –como usted lo desearía– sus ideas, situación que también ocurre en el amor... Sexualmente procura satisfacer a su pareja a quien le prodiga todo género de atenciones... Le agradan los niños y su educación, en la que incluye bases morales sólidas... Intente vencer la inseguridad y obtendrá magníficos resultados... Triunfará en los trabajos creativos y en la venta de objetos para el hogar. La salud merece cierta vigilancia, especialmente en el estómago y las rodillas...

ACUARIO-LEO: Personalidad recia y desconcertante; la derrota para usted no tiene cupo, generalmente encuentra la fórmula adecuada para vencerla... En el amor es dominante; no acepta los errores de quienes ama, debido a ello le parece difícil involucrarse, verdaderamente en el aspecto sentimental. Amigo invaluable, preocupado de la estabilidad de la gente, pero un poco egoísta con su familia... Debido a su gran facilidad de palabra, don de mando e inteligencia le confieren puestos de importancia; jamás defrauda a quien le da una oportunidad laboral... En el terreno sexual intenta dominar, física e intelectualmente a su pareja... Triunfará en cuanto se proponga debido a su fuerza de voluntad... Salud excelente pero debe vigilar el corazón, especialmente después de los 50 años...

ACUARIO-VIRGO: Lleva un orden absoluto en sus cosas, pero mentalmente no logra madurar y ubicarse... Marcada tendencia a exaltar sus virtudes que le hace parecer un tanto vanidoso ante propios y extraños, vigile de no serlo; porque ello podría dañar su imágen, además de atraerle grandes problemas... Exige demasiado pero suele ofrecer poco... La naturaleza le dotó de gran sentido analítico, aprovéchelo. Asímismo posee una brillante creatividad, la que aunada a su inteligencia puede conferirle éxitos de gran importancia... Le agrada conservar a sus amistades, pero como ya le explicamos para evitar su alejamiento requiere prodigarse con ellas... En el amor tiene épocas de frialdad y otras de calidez, actitud desconcertante para su cónyuge... Cuando tiene relaciones sexuales procura satisfacer a su pareja... Exito en cualquier trabajo creativo...

ACUARIO-LIBRA: Mentalmente es una de las personas más creativas del zodiaco, pero carece de estabilidad emocional, motivo que le orilla a cambiar drásticamente su vida... Los giros de 180 grados que provoca usted mismo, abarcan desde el cambio de actividad hasta el de residencia... Como persona creativa vive a la búsqueda de sentirse totalmente realizado, pero ¡mucha precaución! tal hecho resulta peligroso ya que podría desubicarse... Detesta sentirse "presionado" por lo que difícilmente se adaptaría a un trabajo de oficina, su triunfo está en alguna labor que le permita viajar para no aburrirse... Le divierte jugar con niños porque admira su forma de ser tan natural, además usted en el fondo también es un "niño"... Posee talento creativo y artístico pero corre el riesgo de perderse en su creatividad... Una persona con tal combinación astrológica sería capaz de admirar una obra de arte por horas enteras... Aún cuando el dinero no sea lo esencial en su vida a usted no le falta, siempre lo obtendrá debido a su enorme creatividad mental... En el amor necesita unirse a una pareja de mente abierta que no le presione y como dice la celebérrima canción "Beatle": que le deje ser... Cuando se lo propone puede convertirse en la persona más fiel de la tierra... Salud excelente hasta los 45 años cuando requerirá vigilar los pulmones y la circulación sanguínea...

ACUARIO-ESCORPION: Posee gran intuición que guía inconscientemente gran parte de sus acciones... Un poco rencoroso, cuando alguien defrauda su confianza difícilmente le perdona; claro intentará aparentar lo contrario... Impresionante magnetismo personal, debe cuidar sus acciones y palabras. Uno de sus mayores problemas estriba en "desconcertarse" ante la adversidad, entonces es susceptible de cometer graves errores, al analizarlos se percata de sus faltas, pero el daño ya se hizo... Atractivo físicamente, las conquistas sentimentales se le presentan frecuente y asombrosamente, pero a usted le gusta atraer lo difícil; comportamiento que exterioriza en todos los aspectos de su vida; incluyendo el aspecto sexual donde se entretiene a ratos para después ir en busca de un nuevo reto... Triunfará en cualquier actividad creativa que le permita viajar especialmente para cambiar de panorama... Salud, frágil sobre todo en lo relativo a las rodillas, piernas y genitales.

ACUARIO-SAGITARIO: Inteligente nato, desde muy joven adquiere conocimientos. Facilidad de palabra, lucha denodadamente por ser el primero en TODO... Es el clásico "inconforme del zodiaco"... No soporta la vulgaridad de la que huye como si se tratase del SIDA... Debido a su fértil imaginación requiere explotar sus habilidades creativas e incluso las literarios... Le fascina ejercer diversas actividades. Conocedor de su talento obtiene cuanto desea... Requiere vigilar sus palabras para no herir susceptibilidades ajenas... En el amor analiza, con una lupa a su futura pareja y solamente cuando se convence de ella le entrega su amor sin reservas y le "regala" su fidelidad... En el aspecto sexual vive épocas de calidez y otras de frialdad decembrina... Salud, bien aspectada, indiscutiblemente.

ACUARIO-CAPRICORNIO: Aparenta ser un idealista pero la realidad es otra... Tratándose de negocios desea obtener la mayor ventaja económica y para su buena fortuna siempre materializa sus anhelos, difícilmente se involucra en situaciones improductivas. Su lema es el de: "Mi tiempo vale oro y no estoy dispuesto a sacrificarlo"... Cuando decide contraer matrimonio procura entregarse por completo solo que en la cuestión monetaria impone a su cónyuge ciertas condiciones para evitar "despilfarros"... Sexualmente le agrada la persona romántica, detallista y usted disfruta al hacerla intimamente feliz... Debido a su gran responsabilidad en el trabajo jamás antepone situaciones familiares a sus actividades, de ahí que su triunfo esté asegurado en cualquier género de labor elegido por usted... Cuando una persona le desilusiona, sea cual fuese el motivo, se aleja sin dar mayores explicaciones... Salud, bien aspectada.

ACUARIO-ACUARIO: Un verdadero futurista, pero algunas veces muestra escepticismo hacia los poderes y las fuerzas paranormales... Debido a ésto usted puede convertirse en un notable investigador... Claro, jamás ha dejado de pensar que puedan existir hombrecillos verdes que visiten la tierra en sus platos voladores o que una bruja hechice por medio del vudú, son asunto de gran importancia que aún cuando usted mismo llegue a cuestionarlos, paradójicamente no descarta su existencia... Pero, recuerde: "La curiosidad mató al gato". Sí está convencido de una situación, se la comunica a cuanta persona desee escucharle, de ahí que estemos seguros de sus maravillosos dotes de investigador... Asímismo, puede obtener sonados triunfos tanto en la política como en la filosofía... Pero debido a sus múltiples cualidades mentales le parece difícil concentrarse en un sólo objetivo lo que podría dañarle el éxito... Causa la impresión de estar ausente y ¡lo está! Incluso ello le atrae muchos problemas con su pareja, quien suele recriminar su comportamiento distraído... Bajo esta combinación nacen muchos solteros, poco dispuestos a sacrificar su libertad en aras de: "un gran amor" ¿frase cursi? así ve usted el amor... Sexualmente son inestables, pero sienten especial agrado al complacer íntimamente a su pareja... Salud delicada, especialmente debe vigilar sus pasos para evitar accidentes en los tobillos y las piernas...

ACUARIO-PISCIS: Uno de los nativos más sensibles del zodiaco, pero muy distraído... Hé aquí otro "Hamlet". Vive inmerso en su pensamiento... Incluso responde por reflejo condicionado, porque su mente se encuentra a kilómetros luz de su interlocutor... Extraordinariamente creativo, debe aprender a terminar cuanto empiece pues corre el riesgo de perderse en un mar de ideas y nunca alcanzaría su objetivo inicial... Les atrae el ocultismo; incluso dá la impresión de ser misterioso, actitud que atrae la atención de las personas... Tímido natural, difícilmente expresa sus verdaderas intenciones. Fino sentido del humor que le confiere popularidad... En el amor posee una marcada tendencia a sufrir desilusiones aunque sea capaz de "sacrificarlo" todo en aras de una supuesta felicidad... Bajo esta combinación, nacen las personas enamoradas, verdaderamente, de su libertad y claro esta también del sexo opuesto, por ello mismo muchos prefieren conservar su soltería, en caso de contraer matrimonio ser divorcian más de una vez... Creen en el amor, pero les parece difícil encontrarlo porque se desilusionan fácilmente... Triunfará en cualquier actividad artística o alguna otra que sea creativa desde el punto de vista mental, porque suele mostrar poca habilidad en los trabajos manuales aunque paradójicamente tenga cierta facilidad para el aeromodelismo. porque este requiere detalle y creatividad... Salud, bien aspectada, pero también debe cuidarse de no padecer fracturas pues tiene los tobillos y los pies frágiles...

ASCENDENTES DE PISCIS

PISCIS-ARIES: Dueño del llamado sexto sentido; para usted utilizarlo, representa su vida cotidiana. Incluso gran parte de su éxito dependerá de las "corazonadas" y déjese guiar por ellas ya que le permitirán alcanzar el éxito en cuanto emprenda... Líder por naturaleza, debe vencer la inseguridad que algunas veces le acose... Excelente organizador de cosas y de personas, pero evite el tratar de imponer sus órdenes, porque atraerá muchas enemistades... Marcado interés hacia el descubrimiento de lo oculto. Le agradan las lecturas de este género... Gran consejero, cuando alguien le expone un problema usted lo soluciona mágicamente ya sea con un acertado juicio o bien gracias a la ayuda de sus amistades, porque a usted le gusta pedir ayuda para otros más no para beneficiarse... Amante insuperable, detesta los pretextos y la mentira. Cuando la descubre la perdona, pero jamás la olvida... Salud, bien aspectada.

PISCIS-TAURO: Excelente anfitrión, se siente realizado cuando puede ofrecer los más deliciosos manjares a sus visitantes...Hipersensible nato, disfruta de la compañía de personas inteligentes y de principios morales sólidos, entre los que figuran: la lealtad, el apego a la familia y la dignidad, cualidades intrínsecas suyas. A su pareja le exige lo mismo... Tiene grandes ambiciones y las cristaliza debido a su arduo trabajo, incapaz de pisar a alguien para obtener un beneficio, además no debe recurrir a las artimañas porque debido a su energía podría causarse innumerables problemas kármicos... Si bien le interesan los bienes, es para complacer a su familia a quien prodiga todo género de comodidades... Carácter jovial y amable; se le complace fácilmente... Tierno con los niños, defensor de las causas justas y amante de los animales. Triunfo profesional en la psiquiatría, las relaciones públicas, la teosofía y la filosofía.

PISCIS-GEMINIS: Un poco distraído... Jamás ha negado su ayuda a quien la solicite... A través de existencia convive en diversos círculos sociales, incluso le califican de: "sui generis"... Debido a su inquietud natural se involucra en un verdadero torbellino de actividad, causando la impresión de ser "inestable", pero sucede que siempre anda en la búsqueda de nuevos horizontes... Gran facilidad de expresión que le ayuda a obtener puestos relevantes que cumplirá con gran eficiencia. El dinero podrá ganarlo con ciertos sacrificios, pero debido a sus cualidades jamás le faltará... En el amor, le fascina sentirse correspondido, le desagradan las escenas de celos y las discusiones inútiles, porque hieren su sensibilidad y le causan gran sufrimiento... Sexualmente es apasionado e imaginativo... Salud, frágil en las vías respiratorias y la mujer de estas características padece de várices después de los 45 años.

PISCIS-CANCER: Hipersensible nato, capaz de adivinar acontecimientos futuros. Telépata y receptor, presiente la felicidad y el peligro... Huye del bullicio, prefiere recluirse en la tranquilidad de su hogar; aunque a veces el ruido también sea un "gran pretexto esconder su timidez la que le impide iniciar una relación sentimental y, bueno, ya que mencionamos el amor, durante el transcurso de su vida estará sujeto a recibir más de una desilusión, pero no le desaniman para buscar a su pareja ideal. Amante de su familia le prodiga todo género de atenciones, prácticamente se desvive por atenderla. Le agrada vivir en pareja y compartir sus experiencias y preocupaciones... Talento indiscutible para la decoración, las actividades literarias o cualquier tipo de trabajo que le permita desarrollar su creatividad, sobre todo a través de los viajes... Salud, bien aspectada, requiere cuidar su alimentación pues abarca excesos en la comida.

PISCIS-LEO: Lamentablemente, acaba con lo más querido; obedece a sus inclinaciones autodestructivas... Carácter dominante, el cual debe vigilar para no quedarse solo... Estudioso, incansable, siempre encuentra algo nuevo que aprender... Poseedor de una gran creatividad, de proponérselo logra éxitos insospechados ya que tiene carácter férreo... Sexualmente le agrada dominar a su pareja; en usted existe una marcada tendencia a comportarse egoístamente... Vive apasionados idilios, pero una vez lograda su conquista, pierde el interés... Talento para dirigir empresas que necesiten de su creatividad... Salud, bien aspectada.

PISCIS-VIRGO: Inteligencia muy desarrollada, busca personas afines tanto en el amor como en la amistad y el trabajo... El nacido bajo esta combinación astrológica jamás desciende de su nivel socioeconómico... Teme fracasar en cualquier aspecto de la vida... Tiene ciclos de gran orden y otros diametralmente opuestos, sobre todo cuando le rige Piscis... La crítica se convierte en un acicate que le ayuda a sacar la casta para triunfar... El amor y la pareja integran una parte vital en su existencia, cuando no se puede realizar en lo sentimental tiende a frustrarse... Magnífico sentido del humor el cual le ayuda a merecer la admiración de muchas personas... Evita a las personas irresponsables... Triunfo en cualquier actividad de negocios o artística... Salud maravillosa.

PISCIS-LIBRA: Tendencia a confundir la realidad con la fantasía, sueña despierto, causa por la que se desilusiona de cuanto le rodea... Poseedor de talento creativo, puede triunfar económicamente en algún trabajo que le permita desarrollar su ingenio... Una de sus grandes preocupaciones es cumplir con sus compromisos sociales y de trabajo, pero suele olvidar su idea inicial y siempre encuentra una disculpa oportuna... En el amor está incapacitado para vivir mucho tiempo al lado de una sola persona a menos que su pareja sea lo suficiente astuta como para aumentar sus confusiones... Complicado e imaginativo en las relaciones sexuales... Salud regularmente aspectada, requiere vigilancia médica para la región lumbar y los riñones...

PISCIS-ESCORPION: Altamente psíquico, pero tiene marcada tendencia a sufrir desilusiones amorosas, por lo que no es raro que refugie su dolor en el misticismo... Posee recia personalidad y causa la apariencia de ser una persona dulce... Jamás da un halago gratuito, porque le disgusta la hipocresía... Interesado en adquirir conocimientos esotéricos; le agrada visitar las librerías en busca del material que le ayude a progresar espiritualmente... Tiene la suficiente vitalidad para lograr sus metas sobre todo las de trabajo, pero requiere destruir su tendencia depresiva... Amante del hogar, la familia y de los niños, procura defender las causas nobles, incluso siente verdadero cariño hacia los animales... Marcada inclinación hacia la sexualidad y los placeres propios de esta, pero tal hecho se presenta durante su juventud, luego se convierte en una persona mística... La salud requiere mayor vigilancia en lo tocante a los órganos reproductores...

PISCIS-SAGITARIO: Detesta lo rutinario, lucha constantemente para no verse atrapado en ella... Inteligente nato; se rodea de personas afines a usted, rehuye a la gente frívola y también a los introvertidos... Triunfo asegurado en cualquier actividad que le permita viajar o mudarse constantemente de residencia... Le agrada llevar una vida social activa... Psicólogo natural, descubre rápidamente el juego mental de las personas; no se deja engañar... Como pareja suele cultivar el buen hábito de la fidelidad; nunca arriesgaría su hogar en aras de aventura, porque desea conferir respeto y cuidado a su familia. En lo sexual, es muy apasionado... Salud que requiere un poco de cuidado en la columna vertebral y las caderas...

PISCIS-CAPRICORNIO: Suele combinar la inteligencia con la sensibilidad y el talento para obtener solidez económica... Usted sabe invertir su capital con sensatez pues antes de hacer un gasto lo realiza adecuadamente... De carácter formal cuando adquiere un compromiso, jamás lo deja a medias, procura llevarlo a feliz término... Le agrada tratar con gente comprensiva y preparada... Suele conservar las amistades; le fascina recibir honores y reconocimientos públicos, lucha con afán por obtenerlos... La unión familiar es una de sus mayores preocupaciones...

En lo sexual requiere a una persona que despierte sus instintos eróticos... Salud, bien aspectada.

PISCIS-ACUARIO: Cuando afronta algún problema, con frecuencia le parece una labor "titánica" hallarle una solución adecuada, porque suele analizar a fondo todas las situaciones; a raíz de ello pierde magníficas oportunidades... La seguridad económica le preocupa demasiado, pero tranquilo, debido a su creatividad, jamás padecerá por la falta de capital; usted está capacitado para amasar verdaderas fortunas, ello debido a su entrega y coraje... Triunfo apoteótico en los negocios de cualquier índole pero sobre todo en los artísticos y creativos... Inestable en el amor suele encontrar tardíamente a su pareja, hasta entonces se entrega sin reservas... Sexualmente vive tórridos idilios y le gusta complacer a quien comparta sus experiencias físicas... Salud bien aspectada... Visión futurista.

PISCIS-PISCIS: Definitivamente la persona con mayores dotes psíquicos del zodiaco. Poseedor de una insuperable visión que le ayuda a predecir acontecimientos futuros, un verdadero mago... Cuando alguien le brinda su apoyo usted no duda en corresponderle adecuadamente... El dinero es para usted sólo un medio, pero no representa su razón de vivir... Debido a su espiritualidad sufre ante la injusticia. Cuando le plantean un problema lo vive como si fuese propio... En el amor, sufre constantes desilusiones, porque no pierde la esperanza de encontrar a su alma gemela... En el aspecto sexual le atrae una persona que le demuestre con hechos y palabras su calidez... Cuando no le corresponden sufre profundamente y tiende a deprimirse... Vigile los excesos en cualquier aspecto ya que podrían ocasionarle grandes daños tanto físicos como mentales... Adorador de la originalidad, incluso, procura realizar variados cambios en su persona... Triunfo maravilloso en todas las actividades artísticas y creativas o en las relacionadas a la astrología, la quiromancia y la lectura de cartas... Salud, un poco delicada, vigilar médicamente los pies, las caderas y la columna vertebral...

CAPITULO V

RECETAS PARA OBTENER SALUD, AMOR Y DINERO

ARMONICESE DE ACUERDO CON SU SIGNO ZODIACAL...

DIAS, PUNTOS CARDINALES Y HORAS FAVORABLES PARA USTED...

Las recetas que aparecen en este capítulo las reveló el desaparecido astrólogo francés Mark Duval quien también practicaba la Magia Blanca y fueron probadas con miles de personas...

Mark basó la elaboración de las fórmulas en los ingredientes benéficos para cada nativo de un signo.

Un día quise saber si de acuerdo con el ascendente podía ejercer alguna de las fórmulas, me dijo: "¡Claro!, recuerda, el ascendente representa el nivel físico y emocional, es la primera casa de tu horóscopo e integra una parte vital de la energía"...

Después apuntó que se debe empezar con la del signo solar, bueno el que todos conocemos... También nos advirtió que es necesario dejar pasar 7 días antes de practicar la receta adecuada para nuestro ascendente, ejemplo: Usted nació bajo el signo de Capricornio y el otro signo el de su ascendente es Piscis y desea mejorar su energía, comience la práctica con la receta de Capricornio. Espere el tiempo indicado y busque la fórmula de Piscis ¿simple, verdad? y sumamente efectivo...

ARIES

SALUD

Estos nativos padecen en general de fuertes jaquecas y sinusitis. Para contrarrestar las molestias, necesitan:
Té de tila, anís o canela; endulzado con una cucharada de azúcar mascabada –morena–.

Cualquiera de estas infusiones le ayudará a evitar los dolores de cabeza, también la llamada migraña.

SINUSITIS

Té de manzanilla concentrado y colado. Dar un lavado en las fosas nasales, preferentemente con la cabeza colocada en la orilla de la cama.

AMOR

Carismáticos por naturaleza suelen atraer al sexo opuesto; generalmente se involucran con quien menos deben, lo cual perjudica su aura. Si desea limpiar su energía, utilice:

Un manojo de ruda –obténgalo con las yerberas
Un ramo de manzanilla, fresca
Una gladiola amarilla
Una rosa roja sin espinas
Listón rojo, el necesario

Con el listón rojo ate todo lo anterior y forme un ramo. Un martes, jueves o domingo –días favorables al signo– a partir de las 14:00 y hasta las 20:00 horas –tiempo benéfico de Aries–. Desnúdese y pase el ramo desde la cabeza hasta los pies. Luego, introduzca los ingredientes utilizados dentro de una bolsa de plástico y arrójela a la basura. Repita la operación cuantas veces lo considere necesario.

DINERO

Las damas y los caballeros de Aries, atraen la envidia de los demás, por lo tanto requieren de protección constante, si desea retener sus ganancias obtenga:

Una naranja –la más apetecible que encuentre
Un limón, verde y grande
Un plato rosa – de cualquier material

Coloque la fruta en el plato; sitúelo debajo de su cama, a la altura de su cabeza. En caso de tener cajonera, déjelos sobre el buró; en ambos casos quite la fruta hasta que se marchite.

PUNTOS CARDINALES FAVORABLES:

OESTE
SURESTE
NOROESTE

TAURO

Son personas trabajadoras y entusiastas, pero se desilusionan fácilmente cuando las cosas no marchan de acuerdo con sus deseos. Por otro lado, tienden a comer demasiado; ello naturalmente les provoca malestares estomacales. En el amor, se apasionan a tal grado que, como el toro –animal de su signo– se ciegan de manera que no ven más allá de la razón.

SALUD

Cuando un nativo del signo padece trastornos estomacales, necesita:

Una taza de té de yerbabuena con dos rajas de canela, endulzada con una cucharadita de miel de abeja.

También el té de menta es benéfico para ellos.

Cuando padezca constipación intestinal, beba dos cucharaditas de aceite de olivo, en ayunas durante siete días. Se le recomienda evitar toda clase de alimentos condimentados y desde luego la carne de cerdo en el transcurso de su tratamiento.

AMOR

Venus, regente de Tauro, confiere a sus nativos imán hacia el sexo opuesto, pero muchas veces la energía de ellos se empaña por sus constantes celos y su condición posesiva, para contrarrestar estos defectos, reúna:

Dos claveles rojos
Dos lirios
Un manojo de yerbabuena
Medio metro de listón azul
Unas gotas de perfume o loción de sándalo
Una bolsa de plástico

Con el listón ate los ingredientes y rocíeles un poco de sándalo. La operación debe realizarla en lunes, viernes y sábado –días favorables del signo– entre las 00:00 y las 6:00 (estas horas de madrugada aportan gran inspiración a los nativos). Limpie su cuerpo desnudo, con el ramo; comience de la cabeza hacia las plantas de los pies, las cuales deberá frotar con las yerbas. Al finalizar ponga el ramo dentro de la bolsa indicada y arrójelo a un basurero alejado de su casa. Repita la operación descrita cuando le falte amor o que los celos le impidan ser feliz.

DINERO

Para atraer la prosperidad financiera, obtenga:

Seis monedas u objetos de cobre
Seis rajas de canela
Seis claveles rojos
Un poco de azafrán
Un ramo de verbena
Un manojo pequeño de tomillo
Un jabón azul
Seis litros de agua

Deje remojar los ingredientes durante seis horas (excepto el jabón), báñese normalmente con el jabón y enjuáguese. Luego, vacíe la mezcla colocada sobre su cabeza. Realice este baño durante los días y horas benéficas señaladas en la receta de amor.

PUNTOS CARDINALES FAVORABLES:

OESTE
ESTE

G E M I N I S

De naturaleza inquieta requieren vigilar, estrechamente, el sistema nervioso, motivo por el cual aparentan inestabilidad emocional. Los Géminis poseen gran facilidad de palabra; gracias a esta obtienen cuanto desean.

SALUD

Para tranquilizar el sistema nervioso, obtenga:

Una manzana
Un vaso con leche tibia
Una cucharada de melaza –cómprela en las tiendas naturistas

Antes de dormir coma la manzana y beba la leche tibia endulzada con la melaza (en caso de no encontrarla substitúyala con azúcar morena) duerma y amanezca tranquilo.

AMOR

En este renglón se les acusa de inconstantes por ello requieren limpiar su energía, pues generalmente, las personas afectadas por su inestabilidad suelen enviar vibración negativa con sus maldiciones, para librarse de cualquier problema amoroso o simplemente atraer una relación estable, consiga:

Un plato –puede ser usado– de cualquier color
Pétalos de seis rosas de color rosa
Cinco hojas secas de laurel –obténgalas con las yerberas
Cinco cáscaras de limón
Cinco cáscaras de naranja
Cinco rajas de canela
Alcohol el necesario
Cerillos de madera, preferentemente

Coloque los ingredientes sobre el plato, rocíelos con el alcohol y enciéndalo todo con cerillos. Párese frente al ''trabajo''; si lo desea puede saltar en forma de cruz por encima del plato. Realice esta operación de las 22:00 a las 4:00 horas –tiempo favorable para los nativos– en los días: miércoles, domingo o jueves (días benéficos de Géminis).

DINERO

Tienen suerte para triunfar en los negocios, rara vez conocerá a un Géminis escaso de recursos, sólo que debido a su inquietud natural empiezan algo y antes de concluirlo se involucran en nuevos proyectos. Si desea aumentar sus vibraciones positivas e incrementar su capital, prepare:

Una caja pequeña de mármol –adquiérala donde venden artesanías
Un termómetro de vidrio –cómprelo en la farmacia
Cinco billetes de cualquier denominación
Azúcar morena, la necesaria
Cinco cucharadas de canela en polvo
Cinco clavos de especia
Cinco cucharadas de trigo
Un metro de listón angosto, morado

El ''trabajo'' funcionará como imán para atraer el dinero, porque los ingredientes estan hermanados a la vibración mercurial. Proceda de la siguiente manera:

Envuelva el termómetro con los billetes, rodee lo anterior con el listón y hágale cinco nudos. Coloque azúcar dentro de la caja (hasta la mitad), ahora introduzca el termómetro envuelto; cúbralo con más azúcar la cual debe llegar a tapar las tres cuartas partes de la capacidad de la caja. Finalmente, añada el resto de los ingredientes. Es importante dejar el trabajo destapado durante un año. Luego, al término de los doce meses gaste el dinero en víveres. Esta operación debe realizarse al día siguiente de su cumpleaños. En caso de olvidarlo tiene como máximo cuatro días más.

PUNTO CARDINAL FAVORABLE:

SUR

CANCER

Dotados de hipersensibilidad son tímidos, pero tenaces cuando desean alcanzar sus objetivos. Incluso, olvidan su introversión y hablan sin detenerse cuando se presenta algo conveniente a sus intereses. Es justo señalar que ellos viven a la expectativa para vigilar su economía, porque íntimamente le temen a la pobreza. También les asusta hacer el ridículo; ambas situaciones le acarrean problemas gastrointestinales que comúnmente degeneran en úlcera.

SALUD

Si desea controlar los dolores de colitis, necesita:

Medio litro de agua
Un manojo de manzanilla
Un poco de toronjil.
Dos gotas de jugo de limón
Dos cucharaditas de miel de abeja

Hierva los ingredientes anteriores por cinco minutos, déjelos reposar y beba una taza de esta infusión, en la mañana y por la noche. Es importante añadir las gotas de limón y la miel antes de tomar el té.

AMOR

Son exigentes, pero cuando se entregan sentimentalmente procuran ser leales. Si desean atraer el sexo opuesto o mejorar sus relaciones amorosas, necesitan:

Un manojo de manzanilla fresca
Un manojo de albahaca fresca
Un manojo de mirto

Medio metro de listón blanco.
Una bolsa de plástico.

Ate los ingredientes con el listón, para formar un ramo. Desnúdese y páselo por todo el cuerpo –comience de la cabeza hacia los pies–, después introduzca el "trabajo" dentro de la bolsa y arrójelo a la basura. Realice esta sencilla operación en lunes o viernes –días favorables del signo– entre las 20:00 y las 2:00 horas –tiempo benéfico para Cáncer.

DINERO

Los cancerianos por la influencia lunar aumentan su energía con objetos de plata, cuando desee mejorar sus finanzas, consiga:

Dos monedas de plata
Dos rajas de canela
Dos hojas de yerbabuena
Un vaso con tres partes de agua

Durante cualquier fase lunar –menos en la llena*–, remoje en el agua los ingredientes señalados y déjelos en el vaso durante la noche. Al día siguiente, riegue el agua en cruz sobre la banqueta, ubicada afuera de su casa. Esta mezcla se puede utilizar de varias formas: Arrójela afuera de su negocio, enjuáguese las manos o báñese con ella. Repita esta fórmula cuantas veces lo desee; sugerimos practicarla los días y horas benéficos al signo.

PUNTOS CARDINALES FAVORABLES

SUR
OESTE

* Porque desubica al canceriano, incluso jamás deben tomar determinaciones importantes en esa fase lunar.

LEO

Inteligentes y seguros de ellos mismos van por la vida con actitud paternalista hacia las personas.
Les agrada la responsabilidad, pero en exceso les provoca trastornos cardiacos o afecciones en la columna vertebral, cabe señalar que los Leo, en general, disfrutan de una magnífica salud, no obstante se les aconseja prevenir algunas de las mencionadas afecciones.

SALUD

La arterioesclerosis ataca, comúnmente, a los nativos del signo y con el fin de prevenirla se recomienda:

Medio diente de ajo, crudo y sin cáscara.
Un vaso con agua, purificada.

Una vez al año, durante 30 días, en ayunas tómese el agua con el ajo –como si fuese una pastilla–. Con este sencillo remedio evitará problemas de salud.

AMOR

Si desea aumentar su poder de atracción hacia el sexo opuesto adquiera los siguientes ingredientes:

Cinco gladiolas amarillas
Cinco gramos de esencia de romero
Una ramita de laurel –o sea la hoja y el tallo
Un poco de incienso de mirra
Cinco clavos de especia
Un anafre, pequeño o brasero
Medio metro de listón, naranja
Carbón el necesario

Con el listón ate las flores y el laurel, rocíelos con la esencia, limpie su cuerpo –comience por la cabeza–; tire el ramo a la basura que no sea de su hogar. Ahora, queme el resto de los ingredientes encima del carbón –debe estar al rojo vivo– brinque en forma de cruz sobre el anafre. Repita lo anterior una vez cada 30 días.

DINERO

Para evitar la escasez de dinero se aconseja lo siguiente:

Cinco velas de color amarillo o naranja
Una bolsita de tela amarilla o naranja*
Cinco monedas doradas –pueden ser de mil o de cien pesos
Cinco cucharadas de trigo**
Cinco cucharadas de arroz
Cinco cucharadas de lenteja
Cinco cucharadas de avena
Cinco cucharadas de cebada
Hilo amarillo o naranja, el necesario

Un domingo, martes o jueves; entre las 18:00 y las 00:00 horas –días y horas favorables del signo– exponga los ingredientes a la luz de las cinco velas, colóquelas a manera de círculo, una vez consumidas las ceras; recoja los ingredientes e introdúzcalos dentro de la bolsita de tela, la cual debe ser del mismo color de las velas. Añada las cinco monedas y cósalas con el hilo. Puede dejar este amuleto en la despensa o donde guarde su ropa interior.

PUNTOS CARDINALES FAVORABLES:

SUR
ESTE

* Debe ser de fibra natural; franela, cabeza de indio, algodón, etc.
** Utilice una cuchara de mesa.

VIRGO

Ordenados en extremo y en ocasiones escépticos, estos nativos se identifican con la sentencia de "Santo Tomás: ver, para creer". Su mente analítica les da facilidad de razonamiento, o que los clasificaría como fríos. Cuando un Virgo observa una situación lo hace con tal vehemencia que perjudica su sistema nervioso; lo que le ocasiona enfermedades en el estómago, la garganta y la piel.

SALUD

Debido a su constante nerviosismo, los nativos del signo padecen indisposiciones estomacales como: estreñimiento, diarrea e indigestión.

En el primer caso, requieren beber seis tazas de té de yerbabuena en el transcurso del día, la infusión debe quedar un tanto concentrada.

La diarrea e indigestión se cura con un té de yerbabuena y manzanilla; beber una taza cada hora.

Para la piel, se les recomienda beber un té de canela, serenado tomándolo, en ayunas hasta que desaparezca la erupción.

AMOR

Aunque de naturaleza escéptica, sugerimos limpiar su aura cada mes y medio, adquiera:

Un plato de barro, puede ser usado
Un poco de carbón
Un anafre –brasero– pequeño
Seis cucharaditas de canela en polvo
Seis pedacitos de cáscara de limón
Seis pedacitos de cáscara de naranja
Seis hojas de laurel

Seis varas de incienso de sándalo.
Prenda el carbón sobre el anafre y cuando esté al rojo vivo, arrójele cada uno de los ingredientes. Párese frente al humo, cierre los ojos y rece su oración favorita, seis veces en voz alta.

DINERO

Organizador incansable, desea cumplir perfectamente con su trabajo y por estar inmerso en su actividad se olvida de buscar la prosperidad a la que tiene derecho, si desea atraerla, obtenga:

Seis veladoras amarillas
Seis cucharaditas de tomillo fresco
Seis cucharaditas de manzanilla en polvo –use bolsitas de té
Seis cucharaditas de canela en polvo
Seis cucharaditas de clavo de especia
Un termómetro

Un miércoles, jueves o sábado entre las 16:00 y 22:00 horas –días y horario benéficos al signo– empanice una veladora con el tomillo, la manzanilla y la canela; introduzca los clavos sobre la parte superior de la veladora, enciéndala; rece seis veces su oración favorita y repita lo anterior, durante seis días ininterrumpidamente. Lleve consigo el termómetro o déjelo entre sus pertenencias íntimas.

PUNTOS CARDINALES FAVORABLES:

SUR
ESTE

L I B R A

SALUD

Los nativos del signo, difícilmente controlan su carácter, tienden a ser hipocondríacos, pero le temen a las enfermedades. Después de los 40 años suelen padecer de cálculos renales, diabetes y afecciones hepáticas; enfermedades derivadas de su nerviosismo. Para calmar algunos de sus padecimientos, necesitan:

Cuando enfermen de los riñones, pueden beber licuado de alfalfa, previamente desinfectada por veinte minutos con alguna solución de las que se venden en farmacias o supermercados.

Para calmar las afecciones de la garganta, requiere:

Un manojo de eucalipto.

Hervirlo en medio litro de agua. Luego retírelo del fuego y con el humo que despida, dése una vaporización o simplemente llévelo a su recámara, con el humo despedido por la cocción usted descongestionará las vías respiratorias y despejará su garganta.

AMOR

Los Libra se distinguen por su amor hacia la belleza, pero debido a su carácter contradictorio a menudo se involucran con quien menos lo habían imaginado y lamentablemente dejan pasar de lado a quien aman en realidad. Cuando deseen atraer el amor practiquen lo siguiente:

Siete flores, Diente de León
Agua bendita de siete iglesias –que lleven nombre de Santos*
Un frasco de vidrio

* Por ejemplo iglesia de: San Judas Tadeo, San Miguel, San Antonio a excepción de San Ignacio de Loyola.

Dentro del frasco mezcle las flores con el agua bendita, refrigere el contenido durante siete días. Después, riegue el líquido en su hogar. Esta operación debe realizarla en viernes, entre las 14:00 y las 20:00 horas –día y horario favorables al signo–. Realice este "trabajo" una vez al año durante la fase de luna creciente o nueva.

DINERO

Los nativos del signo jamás se preocupan por hacer fortuna –a menos que su ascendente sea Géminis, Tauro o Capricornio– es más, rechazan el tema o simplemente lo evaden. Tampoco dejan de reconocer su afición hacia el confort y el lujo. Para obtenerlos requiere:

Un anillo de cobre
Un ópalo de fuego
Un plato con alcohol
Cincuenta gramos de almizcle
Cerillos de madera, preferentemente

Un joyero puede hacer el anillo –con la piedra engarzada– la fecha de la fabricación debe ser entre septiembre 22 y octubre 22. Después de recoger su anillo límpielo con el humo del almizcle (debe ponerlo sobre el plato con el alcohol y encenderle con el cerillo), páselo siete veces por encima del humo. El secreto consiste en usar el anillo en el dedo meñique de la mano derecha.

PUNTOS CARDINALES FAVORABLES:

ESTE
NORESTE
SURESTE

ESCORPION

"Los Escorpiones van por el mundo repartiendo miel y veneno" nos dijo en cierta ocasión a un grupo de amigos el famoso escritor José Revueltas (q.e.p.d.) y, personalmente juzgo que ha sido una de las mejores descripciones para los nativos del signo.

Jamás pasan inadvertidos y provocan, generalmente, la aceptación o el rechazo y este último les hace vulnerables. Absorben como una esponja las energías tanto positivas como negativas.

SALUD

Debido a su temperamento inquieto y enérgico sufren de colitis nerviosa. Las mujeres padecen de los ovarios, incluso se les dificulta dar a luz. En cuanto a los hombres, tienen problemas con la próstata.

Si padece de colitis, necesita:

Medio litro de agua
Un manojo de manzanilla

Hierva por quince minutos la manzanilla y beba el té, frío o caliente.

Si lo desea puede hacer un lavado rectal, pero debe colar el té y hervirlo por media hora; debe usarlo tibio o al tiempo.

Como ya lo especificamos, la mujer padece de los órganos internos; para tal caso se recomienda:

Una jeringa desechable –de la más grande, pero SIN AGUJA
Tres cucharadas soperas de vinagre de manzana
Un litro de agua hervida por treinta minutos
Un recipiente especial para el caso, nuevo

Hierva el agua por el tiempo indicado, una vez tibia, añada el vinagre. Con la jeringa (SIN AGUJA) extraiga el líquido y aplíquelo en la vagina. Cuando termine deseche esa jeringa, en caso de repetir el tratamiento adquiera una nueva (SIN AGUJA).

Para que los señores eviten problemas en la próstata se les recomienda beber agua de pingüica.

AMOR

Aunque atractivos, físicamente, estos nativos no son afortunados en el aspecto sentimental; si desean atraer o retener el amor, consigan:

Ocho crisantemos amarillos pequeños
Ocho claveles rojos
Ocho ramas de romero
Ocho ramas de manzanilla
Ocho manojos pequeños de mirto
Ocho gotas de esencia de pino
Ocho rosas rojas sin espinas
Ocho rosas amarillas, sin espinas
Una vasija para colocar los ingredientes

Un lunes, martes, jueves o viernes entre las 00:00 y las 6:00 horas deshoje las flores, revuelva los pétalos con las yerbas; añada las gotas de esencia, desnúdese y con lo anterior frótese la cabeza, el cuerpo y las plantas de los pies.

Se recomienda pararse sobre un periódico, para después recoger los ingredientes que deben ser arrojados a la basura. Repita lo anterior durante ocho días seguidos, comenzando por cualquiera de los días y horas indicados, ya que son para usted.

DINERO

Como los Escorpiones están colocados en la casa zodiacal ocho tienen el poder de recuperar pérdidas o renacer en cualquier aspecto de la vida. Cuando surjan fugas económicas reúna lo siguiente:

Una vela morada
Una vela roja
Una vela verde
Ocho granos de maíz
Ocho frijoles crudos negros
Ocho granos de trigo
Ocho gotas de esencia de sándalo
Ocho gotas de pino
Una aguja nueva
Hilo verde el necesario
Una bolsita de tela verde
Un topacio pequeño –obténgalo en una joyería

Durante los días y horas favorables al signo –consúltelo en la receta anterior– coloque las velas en triángulo de la siguiente manera:

La morada, en la parte superior; la roja del lado izquierdo y la verde del lado derecho. Luego, sitúe los ingredientes enmedio de las ceras y mójelas con las gotas de esencia; encienda las velas y déjelas consumir totalmente.

Después introduzca los granos y el topacio dentro de la bolsita; cosa la bolsa y llévela siempre con usted. Es justo señalar que los ingredientes se cambian cada año; el topacio no. Haga esta operación al día siguiente de su cumpleaños teniendo como límite 20 días más para reemplazar el "trabajo".

PUNTOS CARDINALES FAVORABLES:

NOROESTE
ESTE
SURESTE

SAGITARIO

Estos nativos poseen agudeza mental y viven con intensidad el presente. Les agrada ayudar a sus amistades, pero cuando alguien los agrede pueden ser extremadamente crueles, lo cual perjudica su energía.

SALUD

Debido a su personalidad, los Sagitario se presionan demasiado, acarreandoles una serie de trastornos digestivos. También padecen de la garganta y de los pulmones, por lo cual se les recomienda realizar una vez al año una visita al otorrinolaringólogo, aparte de recurrir a un médico general, pues tienden a padecer de los riñones, presión arterial y la vista.
Cuando desee controlar los problemas de la garganta, consiga:

Un merengue de dulce
Un vaso con leche
Un recipiente de peltre
Una taza de las usadas comúnmente en su hogar
Un plato chico

Hierva la leche en el recipiente; retírela del fuego e inmediatamente vacíe el líquido a la taza, añádale el merengue y tápela. Beba el contenido –lo más caliente que lo tolere– a sorbos pequeños, este remedio le ayudará a limpiar su garganta; incluso hemos sabido casos de personas que se han aliviado de bronquitis.

AMOR

Amantes de la libertad, la defienden a costa de todo y como consecuencia no retienen el amor. Cuando deseen aumentar su magnetismo personal requieren conseguir:

Nueve gramos de esencia de naranja
Nueve narcisos

En la fase de luna creciente en: martes, jueves, sábado o domingo entre las 10:00 y las 16:00 horas –tiempo y horario benéficos para usted– rocíe con la esencia las flores. Luego, frote todo su cuerpo desde la cabeza hasta los pies. Repita esta limpia nueve veces seguidas, comenzando en cualquiera de los nueve días después de su cumpleaños.

DINERO

Gracias a la inteligencia de los Sagitario, difícilmente experimentan falta de dinero; pero si desea atraerlo más, consiga:

Tres nueces moscadas
Nueve flores, diente de león
Un recipiente de vidrio, con tapadera
Tres cuartas partes de litro de agua Bendita –menos la de San Ignacio–.
Añada los ingredientes al recipiente y tápelo; guárdelo dentro del refrigerador, déjelo por espacio de nueve días. Transcurrido ese tiempo cuele el líquido y proceda a regarlo en cada una de las esquinas de su recámara, esta fórmula es infalible para atraer el dinero y la paz a su hogar. Es importante secar al sol las nueces, después repartirlas en su hogar, trabajo y su persona. Realice esta fórmula una vez al año.

PUNTOS CARDINALES FAVORABLES:

NORTE
NORESTE
NOROESTE

CAPRICORNIO

El comportamiento de estos nativos es controvertido... Pueden ser depresivos, audaces, perseverantes y en general viven íntimamente el conflicto de no saber hacia donde inclinarse, algunas veces les interesa lo espiritual y otras lo material.

Deben aprender a controlar su orgullo, así como tener un poco de fe porque desconfían hasta de ellos mismos.

SALUD

Cuando están agresivos o insensibles afectan, principalmente, su sistema nervioso que les provoca insomnio y afecciones de la piel si desea prevenirlas, aparte de controlar su carácter, reúna:

Cuatro hojas de naranjo.
Cuatro flores de azahar secas.
Cuatro pizcas de damiana.
Cuatro cucharaditas de miel de colmena.

En medio litro de agua, hierva los ingredientes, endúlcela con la miel, beba una taza antes de dormir.

Si padece una especie de urticaría se le recomienda beber agua de horchata cuantas veces pueda, en el transcurso del día.

AMOR

Los Capricornio, difícilmente se involucran con personas de menor escala social a la de ellos, siempre buscan la seguridad económica o social pues desean disfrutar del bienestar que les proporcione su pareja e incluso no les interesa sacrificar su orgullo cuando ven a alguien conveniente a sus intereses.

Gran parte de estos nativos se comportan posesivamente con su pareja lo cual aunado a lo fuerte de su carácter les impide ser felices. Si desea conservar el amor, aun cuando lo dude, pruebe esta fórmula total, mal no le hará; obtenga:

Una cubeta de plástico nueva, azul o verde
Un ramo de hinojo
Un ramo de menta fresca
Un ramo de romero fresco
Cuatro litros de agua

Un jueves o sábado entre las 8:00 y las 14:00 horas –días y horas benéficos para usted –enjuague las yerbas perfectamente. Introdúzcales en la cubeta, déjelas reposar 24 horas. Al día siguiente, báñese como de costumbre; al final arroje el agua sobre su cabeza; previamente aparte las yerbas para que usted se frote con ellas.

DINERO

El peor momento en la vida de un Capricornio es cuando atraviesa por una mala racha económica; para atraer la fortuna y retenerla, consiga.

Diez claveles blancos
Diez gramos de esencia de menta

Durante los días y horas favorables a su signo; añada la esencia a las flores, desnúdese y páselas por todo su cuerpo. Empiece por la cabeza y al finalizar talle las plantas de sus pies sobre las flores. Repita esta operación diez días seguidos, luego; arroje el trabajo a la basura.

PUNTOS CARDINALES FAVORABLES:

NORTE
NORESTE

A C U A R I O

Son poseedores de un carácter indescriptible, porque difícilmente se conoce su verdadero estado de ánimo, lo cual se debe a la intranquilidad mental que los domina. Muchos de sus problemas se atribuyen a la franqueza, característica en ellos, que las personas llaman: "falta de tacto".

SALUD

A estos nativos se les recomienda vigilar sus pasos, ya que tienden a tropezar y caer lo cual obedece a la fragilidad en sus tobillos. También padecen calambres e hinchazón en los pies, cuando quiera prevenir dichos transtornos, requiere:

Cuatro ramas de ruda
Medio litro de agua
Siete ramas de árnica

Hierva en el agua los ingredientes, déjelos por espacio de cinco minutos; después cuele la infusión y bébala cuatro veces al día durante una semana. Repita la fórmula cada seis meses.

AMOR

Es difícil conocer a un nativo de Acuario cuyas palabras concuerden con sus acciones, en general dicen una cosa y hacen todo lo contrario. Incluso, el gran maestro de astrología Esteban Mayo les llama cariñosamente: "Locuarios".

Tienden a ser fieles, pero debido a su inestabilidad emocional atraen energías negativas. Bajo este signo nacen un sinnúmero de hombres y mujeres solteros o divorciados.

Cuando deseen atraer al sexo opuesto, necesitarían:

Once violetas.
Un manojo pequeño de albahaca.

Un manojo de perejil
Un manojo de ruda
Medio metro de listón azul eléctrico

Con el listón ate los ingredientes para formar un ramo, desnúdese y frote su cuerpo desde la cabeza hasta los tobillos. Luego, talle las plantas de sus pies sobre el ramo. Envuélvalos en una bolsa de plástico y arrójelos en un basurero, lejano a su hogar.
Inicie esta operación un sábado, y repítala en los siguientes días: domingo, martes y miércoles; hasta completar once veces. Efectúela entre las 6:00 y las 12:00 horas –días y horarios benéficos del signo–

DINERO
Si desea tenerlo o simplemente que le rinda, necesita:

Una bolsita de franela azul
Un ámbar
Un pedacito de plomo
Agua Bendita de tres iglesias
Un zafiro de cualquier clase
Hilo azul eléctrico, el necesario
Un ópalo

Dentro de la bolsita ponga lo anterior, cósala. Luego introduzca este amuleto dentro del agua Bendita, déjelo reposar durante tres horas. Uselo en su bolso o en el bolsillo de su pantalón. Riegue el agua Bendita, en cruz, afuera de la entrada de su casa.

PUNTOS CARDINALES FAVORABLES:
NORTE
NOROESTE
OESTE

PISCIS

A los nativos de este signo les agrada transmitir sus conocimientos a propios y extraños. Un claro ejemplo de ello fue el Sr. Emilio Azcárraga Vidaurreta, nacido un 2 de marzo quien indudablemente aportó grandes progresos a la comunicación.

SALUD

Padecen, fundamentalmente, dolores en las plantas de los pies, obesidad y trastornos intestinales en general. Los homeópatas sugieren diferentes recetas para controlar y prevenir esos malestares, en el primer caso requiere:

Un ramo de menta fresca
Un ramo de manzanilla fresca
Aceite o cápsulas de vitamina E, el suficiente
Un litro de agua

Hierva la manzanilla y la menta déjelos en punto de ebullición, dos minutos. Posteriormente, añada el agua a una bandeja y ahí meta los pies, aclaramos: el agua debe estar caliente pero no hirviendo, porque podría quemarle; déjelos dentro cinco minutos, después séquelos con una toalla y frótelos con la vitamina, comience desde el empeine para finalizar en las plantas. Repita lo descrito, cuando menos una vez a la semana.
No siempre los piscianos son delgados, debido a sus frecuentes depresiones tienden a calmar sus nervios comiendo y lógicamente les acarrea exceso de kilos, en este caso adquiera:

Tres pedacitos de cocolmeca
Tres ramitas de marrubio
Tres hojas de toronjil
Medio litro de agua

Hierva los ingredientes en el agua y beba el líquido como agua de uso, comience esta práctica en luna menguante, por espacio de 12 días y repita la operación cada mes.

AMOR

Sentimentalmente su vida es demasiado inestable, porque se enamoran de personas inconvenientes.

Se dice que en Persia, cuando alguien nacía bajo este signo, el astrólogo le auguraba poca suerte y demasiados sufrimientos en el amor; cuando desee mejorar su destino sentimental, adquiera:

Un cuarzo rosa*
Cuatro cucharadas de sal marina
Un recipiente de cristal
Un litro de agua
Una bolsita de seda o de algodón en rosa o rojo

En el recipiente de vidrio añada el agua con la sal e introduzca el cuarzo, déjelo por espacio de siete días y no lo toque. Transcurrido el tiempo saque el cuarzo –no lo enjuague– colóquelo sobre la palma de su mano izquierda y pídale:

''Deseo amor, siento amor
Atraigo el amor y viene
a mí, que sea, que se haga
y que se logre''

Repita lo anterior frente a su cuarzo diariamente no más de tres minutos. Cada mes deje su piedra en un vaso con agua –pero sin sal– el tiempo adecuado para limpiar su cuarzo es de tres horas, exactamente. Recomendación: jamás deje su piedra encima de aparatos eléctricos.

Días favorables: lunes, viernes y jueves.

* Tenga cuidado con las falsificaciones de los cuarzos si desea información: llame a los teléfonos: 574-72-18, 574-87-05 y 525-06-80 en México, D.F.

Días favorables: lunes, viernes y jueves.
Horarios: 4:00 a 10:00 horas.

DINERO

Ahorran durante mucho tiempo, pero después gastan su dinero en lo que menos imaginaron, si desea tener un buen capital, necesita:

Una nuez moscada
Una bolsita de franela roja
Una flor, Diente de León
Nueve granos de maíz
Doce semillas de enebro

Introduzca los ingredientes dentro de la bolsita, cósala y llévela siempre consigo. Efectuar esta operación a más tardar 12 días después de su cumpleaños.

PUNTOS CARDINALES FAVORABLES:

NOROESTE
OESTE
SUROESTE

CAPITULO VI

PIEDRAS ASTRALES

FRASES DE MEDITACION

NUMEROS FAVORABLES

ANIMAL DE SUERTE Y MUCHAS COSAS MÁS...

A R I E S

Elemento: Fuego

Planeta: Marte

Color favorable: Rojo en cualquiera de sus tonalidades

Metales: Hierro, oro y bronce

Flores: Geranio, amapola y tulipán

Día de la semana: Martes

Número favorable: 7, o el resultante de los dígitos correspondientes a su fecha de nacimiento. Ejemplo: 29-03-1948. Sumar: 2 + 9 + 3 + 1 + 9 + 4 + 8 = 36…

Sume de nuevo el resultante: 3 + 6 = 9…*

Frase de meditación: ''El Ser Supremo e Infinito, es quien guía mis acciones''

Piedra: Diamante

Piedras astrales: Rubí, jaspe rojo; cornelia y coral rojo…

Símbolo: La cabeza de un carnero

Partes del cuerpo regidas: Cabeza, garganta, glándula hipófisis y el rostro en general

Animal de suerte: Carnero

Casa del Zodiaco: 1

Signo opuesto: Libra

Perfume: Magnolia, la verbena y sándalo para atraer el dinero

* En numerología jamás se puede exceder del número 9, por ser un dígito perfecto y por ende en caso de resultar un 11, sume nuevamente, puede ser 13,15,10, etc.

T A U R O

Elemento: Tierra

Planeta: Venus

Color favorable: Verde

Metales: Cobre, oro y plata

Flores: Clavel rojo, margarita y la flor del manzano

Día de la semana: Viernes

Número favorable: 6 (o el resultante de su fecha de nacimiento, consultar Aries)

Frase de meditación: ''Poseo todo lo necesario para ser feliz''

Piedra: Esmeralda

Piedras astrales: Topacio dorado, ágata y azurita

Símbolo: Un toro

Partes del cuerpo regidas: Cuello, garganta, mandíbula inferior, hipotálamo... En la mujer el cerebro, páncreas, la vagina y los ovarios

Animal de suerte: Toro

Casa del Zodiaco: 2

Signo opuesto: Escorpión

Perfumes: Sándalo y violeta

G E M I N I S

Elemento: Aire

Planeta: Mercurio

Colores favorables: Gris, naranja, amarillo, rosa y lila.

Metales: Oro, plata y mercurio.

Flores: Verbena, madreselva y jazmín

Día de la semana: Miércoles

Número favorable: 12 o el resultante de su fecha de nacimiento. Consultar Aries

Frase de meditación: ''Tengo la mente abierta para comprender a la inteligencia Suprema''

Piedra: Alejandrina

Piedras astrales: Cristal de cuarzo y aguamarina...

Símbolo: Una pareja de gemelos

Partes del cuerpo regidas: Sistema nervioso, brazos, manos y hombros

Animales de suerte: Loros, mariposas y simios

Casa del Zodiaco: 3

Signo opuesto: Sagitario

Perfume: Gardenia, jacinto y jazmín

CANCER

Elemento: Agua

Satélite: Luna

Colores favorables: Plata, gris y blanco

Metal: Plata

Flor: Lirio

Día de la semana: Lunes

Número favorable: 5 y el resultante de los dígitos sumados de su fecha de nacimiento. Consultar aries

Frase de meditación: "Tengo la capacidad de apreciar lo bueno y lo complicado de la vida"

Piedra: Perla

Piedras astrales: Acerina, turquesa verde y rubí

Símbolo: Un cangrejo

Partes del cuerpo regidas: Pulmones y estómago

Animales de suerte: Pollos, vacas, gatos y crustáceos…

Casa del Zodiaco: 4

Signo opuesto: Capricornio

Perfumes: Lirio y almizcle

L E O

Elemento: Fuego

Astro regente: El Sol

Colores favorables: Naranja, amarillo y dorado

Metal: Oro

Flores: Crisantemos amarillos, rosas rojas y girasoles

Número favorable: 1 o el resultante de los dígitos sumados de la fecha de su nacimiento. Consultar Aries

Frase de meditación: "Puedo armonizarme con la luz Divina, nacida en el infinito"

Piedra: Rubí

Piedras astrales: Ambar, sardónice, jacinto y peridot

Símbolo: Una cabeza de león

Partes del cuerpo regidas: Corazón, cóxis y los costados

Animales de suerte: Gatos y los relacionados al mundo felino

Casa del Zodiaco: 5

Signo opuesto: Acuario

Perfumes: Azahar, narciso y crisantemo

VIRGO

Elemento: Tierra

Planeta: Mercurio

Colores favorables: Gris y azul en todas sus tonalidades

Metales: Mercurio y oro

Flores: Azalea y lavanda

Día de la semana: Miércoles

Número favorable: 5 o el resultante de los dígitos de su fecha de nacimiento. Consultar Aries

Frase de meditación: "Siento que el amor Divino guía mis pasos"

Piedra: Zafiro

Piedras astrales: Jaspe rosa, azurita y zafiro estrella.

Símbolo: Una virgen que sostiene una espiga en sus manos

Partes del cuerpo regidas: Abdomen, intestino, glándulas suprarrenales y páncreas

Animales de suerte: Todos los domésticos

Casa del Zodiaco: 6

Signo opuesto: Piscis

Perfumes: Lavanda, lila y clavel

L I B R A

Elemento: Aire

Planeta: Venus

Colores favorables: Verde en todas sus tonalidades

Metal: Cobre

Flor: Gardenia

Día de la semana: Viernes

Número favorable: 8 o el resultante de la suma de los dígitos de su fecha de nacimiento. Consultar Aries

Frase de meditación: ''Me siento iluminado por la belleza y la armonía"

Piedra: Opalo de fuego

Piedras astrales: Agata de fuego, ágata y turmalina

Símbolo: Una balanza

Partes del cuerpo regidas: Riñones, glándula tiroides y apéndice

Casa del Zodiaco: 7

Animales de suerte: Los pájaros de plumaje brillante

Perfumes: Gardenia, limón y violeta

Signo opuesto: Aries

ESCORPION

Elemento: Agua del cuerpo

Planeta: Plutón y Marte

Colores favorables: Shedrón, rojo encendido y cereza

Metales: Oro, plata y cobre

Flores: Crisantemo amarillo, clavel rojo y ajenjo

Día de la semana: Martes

Número favorable: 4 o el resultante de los dígitos sumados, de su fecha de nacimiento. Consultar Aries

Frase de meditación: ''La fuerza Suprema es la base de mi transformación''

Piedra: Topacio

Piedras astrales: Coral rojo, rubí y zirconia

Símbolo: Un escorpión

Partes del cuerpo regidas: Los órganos reproductores, genitales y el colón

Animal de suerte: Reptiles y pájaros

Casa del Zodiaco: 8

Signo opuesto: Tauro

Perfume: Eucalipto, magnolia y almizcle

SAGITARIO

Elemento: Fuego
Planeta: Júpiter
Color favorable: El azul en sus tonalidades fuertes
Metal: Estaño
Flores: Jazmín, clavel y narciso
Día de la semana: Jueves
Número favorable: 3 y el resultante de los dígitos sumados de su fecha de nacimiento. Consultar Aries
Frase de meditación: ''Todo es posible cuando vibramos con la presencia de la armonía Suprema''
Piedras: Turquesa, granate o aquellas veteadas de rojo o verde…
Piedras astrales: Lapizlázuli, amatista y malaquita
Símbolo: El centauro Quirón, símbolo de la sabiduría, la integridad moral y la maestría
Partes del cuerpo regidas: Muslos y caderas
Animal de suerte: Caballo
Casa del Zodiaco: 9
Signo opuesto: Géminis
Perfumes: Narciso, jazmín y sándalo

CAPRICORNIO

Elemento: Tierra
Planeta: Saturno
Color favorable: Negro
Metales: Oro y plata
Flor: Pensamiento
Día de la semana: Sábado
Número favorable: 3 o el resultante de la suma de los dígitos de su fecha de nacimiento... Consultar Aries
Frase de meditación: "Tengo la fuerza necesaria para dominar el plano físico que me rodea"
Piedra: Obsidiana
Piedras astrales: Onix, coral negro, azabache y cuarzo blanco o negro...
Símbolo: Un animal mitad cabra y mitad pez
Partes del cuerpo regidos: Las rodillas y las coyunturas
Animal de suerte: Chivo
Casa del Zodiaco: 10
Signo opuesto: Cáncer
Perfumes: Lila y pino

A C U A R I O

Elemento: Aire
Planeta: Urano
Colores favorables: Azul claro, azul pavo y cobalto
Metal: Plomo
Flores: Nardo y orquídea
Día de la semana: Sábado
Número favorable: 2 o sume los dígitos de su fecha de nacimiento. Consultar Aries
Frase de meditación: ''La luz Divina, ilumina toda mi mente''
Piedra: Amatista
Piedras astrales: Lapizlázuli, aguamarina, zafiro azul
Símbolo: Un hombre sostiene un cántaro con agua la que derrama generosamente
Partes del cuerpo regidas: Tobillos y sistema circulatorio
Animales de suerte: Los pájaros en todas sus especies
Casa del Zodiaco: 11
Signo opuesto: Leo
Perfumes: Violeta, orquídea y jazmín

P I S C I S

Elemento: Agua

Planeta: Neptuno

Colores favorables: Azul, verde y violeta

Metal: Plata

Flores: Loto y lirio

Día de la semana: Jueves

Número favorable: 11 o sume los dígitos de su fecha de nacimiento. Consultar Aries

Frase de meditación: ''El amor Divino, lo vence todo con su infinita sabiduría''

Piedra: Aguamarina

Piedras astrales: Coral, zafiro, turmalina, jade y turquesa

Símbolo: Dos peces que nadan en posición contraria uno hacia el norte y otro hacia el sur, imagen del principio y fin de lo oculto

Partes del cuerpo regidas: Pies y sistema linfático

Animales de suerte: Delfín, ballenas y peces de colores

Casa del Zodiaco: 12

Signo opuesto: Virgo

Perfumes: Magnolia, lila, cerezo y heliotropo

CAPITULO VII

EL SECRETO DE LOS ANILLOS USELOS DE ACUERDO CON EL SIGNO Y SEA DICHOSO...

LOS SIMBOLOS SECRETOS DE LOS ARCANGELES QUE LE AYUDARAN A TRIUNFAR...

NO SE EQUIVOQUE REGALE DE ACUERDO AL SIGNO DEL HOMBRE Y DE LA MUJER...

CALENDARIO LUNAR

EL SECRETO DE LOS ANILLOS

¿Sabía usted que los anillos pueden atraer a su vida la felicidad? Bien, a continuación presentamos una guía sencilla, ésta le ayudará a encontrar el metal adecuado, la piedra y a través del dibujo le mostramos en cual dedo puede utilizarlo. Cabe señalar que estos aros deben ser elaborados en la luna nueva o en la fase de creciente. Uselos en la mano derecha cuando necesite dinero y en la izquierda cuando desee tener armonía, paz espiritual o amor...

Se preguntará si puede cambiarlos de vez en cuando... Debido a que tenemos varias piedras, indicadas, para cada signo, de ser posible mande a fabricar dos...

Como observará el dedo pulgar aparece con el nombre de ''comandante'', en efecto desde el punto de vista esotérico no debe utilizar ahí ningún anillo, pues bloquea su energía positiva...

Publicamos los números telefónicos para información acerca de las partes donde se pueden elaborar...

En la página correspondiente a las piedras observamos tres columnas; en la primera vemos el símbolo del signo, en la segunda los nombres de las piedras y en la última el metal adecuado, elija el más conveniente a sus intereses. En el caso del oro no importa de cuántos kilates sea, pero no utilice uno muy bajo, porque se derrocharía la buena vibración... Así mismo publicamos el mes en que debe elaborarse.

PIEDRAS Y METALES INDICADOS PARA LOS ANILLOS

SIGNO	PIEDRAS	METALES
ARIES Abril	Rubí, Jaspe Rojo, Coral, Diamante	Oro y Bronce
TAURO Mayo	Esmeralda, Topacio Dorado, Lapizlázuli y Malaquita	Plata, Oro y Cobre
GEMINIS Junio	Cristal Aguamarina, Alejandrina, Berilo y Perla	Oro y Plata
CANCER Julio	Rubí, Perla, Turquesa Verde	Plata
LEO Agosto	Ambar, Sardónica, Rubí, Circón, Crisolito	Oro
VIRGO Septiembre	Jaspe Rosa Azurita, Zafiro, Zafiro Estrella	Oro
LIBRA Octubre	Opalo Agata de Fuego, Agata, Turmalina	Todos Los Metales
ESCORPION Noviembre	Topacio, Granate, Coral, Rubí, Circón	Oro y Plata
SAGITARIO Diciembre	Amatista, Malaquita Circón Turquesa	Plata Oro y Cobre
CAPRICORNIO Enero	Onix, Cuarzo Blanco, Berilo, Granate Obidiana	Oro y Plata
ACUARIO Febrero	Zafiro Azul, Lapizlázuli; Aguamarina Amatista	Todos Los Metales
PISCIS Marzo	Diamante, Turquesa Jade, Turmalina, Piedra Sangre de Cristo, Heliotrópo	Plata

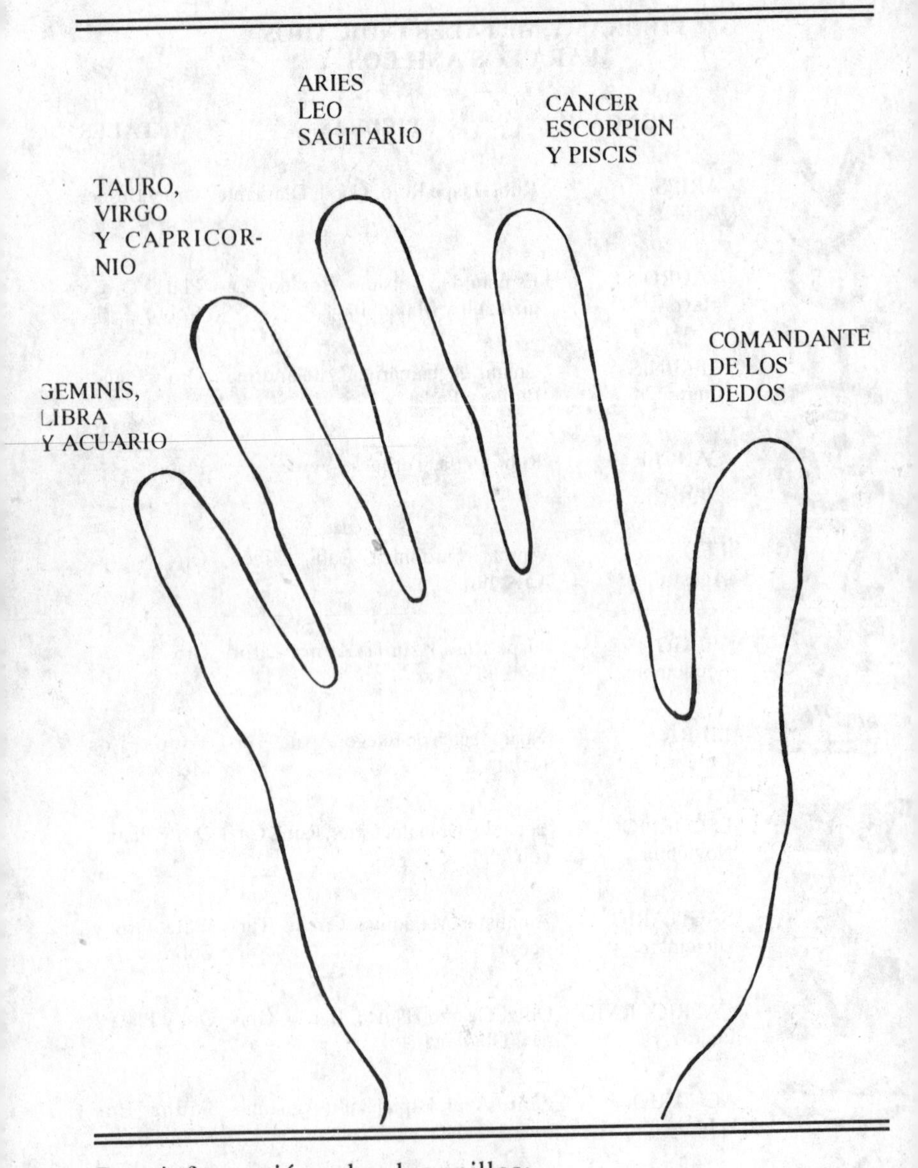

Para información sobre los anillos:
a los siguientes teléfonos: 207-0996
525-0680
FAX: 574-7218

LAS CLAVES SECRETAS PARA ATRAER: SALUD, AMOR, DINERO Y ALEJAR A LOS ENEMIGOS...

Cuando estudié astrología con el maestro Manuel Lozano Serrano nos proporcionó, al grupo de estudiantes, una serie de claves aparentemente son dibujos, pero de gran poder; son fáciles de realizar hasta un niño de primaria está capacitado para hacerlos. En la primera columna observará que aparecen los signos terrestres: Tauro, Virgo y Capricornio. Bien, enseguida el planeta regente; después el símbolo esotérico del Arcángel correspondiente, y el color requerido para cada petición, ejemplo: María desea progresar económicamente –sin importar el signo de ella– con una brújula ubique el rumbo norte y con un lápiz dorado o pintura del mismo color –cómprela en la papelería– dibuje cualquiera de los símbolos de tierra, supongamos que seleccionó Capricornio, hace, después el planeta Saturno y finalmente dibuja el símbolo del Arcángel, quedan de la siguiente forma:

3) SAN RAFAEL 

2) SATURNO 

1) CAPRICORNIO 

Como podrá observar comience de abajo hacia la parte superior del papel que debe ser pergamino virgen, pero no se angustie llame a nuestros teléfonos y de acuerdo con su lugar natal le informaremos donde obtenerlo, ya que debe ser legítimo de piel de oveja y guárdelo en una caja de madera.

ASTROLOGIA
SIGNOS DEL ZODIACO

PUNTO CARDINAL	ELEMENTO Y PLANETA		ARCANGELES REGENTES DE CADA SIGNO	
NORTE	**TIERRA**		**ARCANGEL**	**COLOR**
TAURO	VENUS	(FERTIL)	SN. RAFAEL	
VIRGO	MERCURIO	(ESTERIL)		**DORADO**
CAPRICORNIO	SATURNO	(ESTERIL)		

ESTE SIGNO DE TIERRA UTILIZADO EN LAS COSAS MATERIALES, COMO EN; NEGOCIOS, LOTERIA Y RIFAS.

SUR	**AGUA**		**SN. GABRIEL**	
CANCER	LUNA	(FERTIL)		
ESCORPION	MARTE	(FERTIL)		**VERDE**
PISCIS	JUPITER	(FERTIL)		

ESTE SIGNO DE AGUA SE DIBUJA PARA ATRAER LO SENTIMENTAL, YA SEA EN EL AMOR Y EN LA AMISTAD.

ORIENTE			**SN. ANAEL**	
GEMINIS	MERCURIO	(FERTIL)		
LIBRA	VENUS	(FERTIL VIOLENTO)		**AMARILLO Y**
ACUARIO	SATURNO URANO	(FERTIL V.)		**NARANJA**

A ESTE SIGNO SE RECURRE PARA ATRAER LA SALUD.

PONIENTE	**FUEGO**		**SAN. MIGUEL**	
ARIES	MARTE	(FERTIL VIOLENTO)		
LEO	SOL	(ESTERIL)		**MORADO**
SAGITARIO	JUPITER	(ESTERIL)		

ESTE SIGNO VENCE A LOS ENEMIGOS.

REGALOS ADECUADOS PARA CADA NATIVO DE LOS DOCE SIGNOS

— *Esta herramienta es muy útil, gracias...*

HOMBRE TAURO

— *Te juro, que deseaba este amuleto...*

MUJER ESCORPION

REGALE DE ACUERDO CON EL SIGNO

HOMBRE ARIES

Busque objetos originales, no necesariamente caros; pero sencillos. Recuerde, padecen de la garganta.
Una bufanda
Un conjunto deportivo, pants
Una botella de un buen vino
Si practica algún deporte: un objeto relacionado con su actividad
EVITE: Los juegos intelectuales y complicados
ENVOLTURA: Las envolturas complicadas para abrirlas

MUJER ARIES

En general suelen comportarse más sofisticadas sobre todo cuando van a una gran fiesta.
Un perfume de última moda
Una loción de aroma dulce
Aretes de diseño original
Velas rojas, de cualquier forma y estilo
Una caja de cosméticos –son grandes coleccionistas
Un sombrero
Una boina
Un libro forrado de piel con sus iniciales –existen casas dedicadas a empastar
Una pulsera
EVITE: Los estilos comunes
ENVOLTURA: Sofisticada con un bello moño el cual seguramente conservará

HOMBRE TAURO

Admiran a la mujer de buen carácter y hogareña por esto sugerimos que de ser posible usted le obsequie cosas con sabor familiar.
Un pastel, hecho en casa
Una botella de vino
Ofrézcale una cena
Un suéter tejido, por usted
Un taladro
Un caja de herramientas
Un encendedor
EVITE: Los regalos sofisticados o extravagantes
ENVOLTURA: Elegante, admiran el buen gusto

MUJER TAURO

Generalmente son hogareñas y tienen gusto refinado. De acuerdo con sus características no es difícil encontrar regalos.
Una caja de bombones finos
Un recetario de cocina
Una sartén, hay en forma de corazón
Un cuadro con un bello paisaje
Un centro de cristal cortado
Una figura de alabastro
Su disco favorito
Una vajilla
Una bombonera de cristal
Una lámpara
EVITE: Los regalos de diseño común
ENVOLTURA: Perfecta, evite el color rojo, porque le disgusta

HOMBRE GEMINIS

Inevitablemente curiosos y sociables, son felices cuando reciben un obsequio que puedan compartir con familiares y amigos. Les atrae la comunicación.
Un estuche de barajas
Un juego de dominó
Un cubilete
Un disco compacto
Cintas de grabación
Video cassetes
Un estuche para guardar sus videos o cintas
Libros ilustrados con atractivas fotografías
Cuando verdaderamente quiera impresionarlo regale dos o tres cosas
EVITE: Los regalos carentes de imaginación
ENVOLTURA: Complicada y despertará aún más su curiosidad

MUJER GEMINIS

Le atrae viajar, acudir a reuniones y al igual que el hombre de su signo le gusta compartir sus presentes.
Una T.V. de bolsillo
Un aparato telefónico, diseño original
Un video de su película favorita
Invítela a cenar al sitio más alto de la ciudad
Una cámara fotográfica
Un viaje con todos los gastos pagados
EVITE: Los regalos que no despierten su imaginación
ENVOLTURA: Elegante, de preferencia una caja grande; es muy curiosa

HOMBRE CANCER

Hogareño. Cuando nadie le da un presente él decide autorregalarse. Les gusta todo aquello que le recuerde su casa. Tienen alma infantil, conozco dos cancerianos –mis hermanos– que coleccionan trenes.
Una escultura
Un juego de copas para su oficina
Un portafolio de piel
Una cartera de piel
Un juego para su escritorio
Un gorro de cheff, les agrada cocinar
Una casa de campaña
Una colección de coches a escala
Ropa sport
EVITE: Generalmente las herramientas; porque suelen tener poca habilidad manual a menos que su ascendente sea: Tauro o Capricornio
ENVOLTURA: Simple les interesa más el contenido

MUJER CANCER

Les atrae el hogar por lo tanto aún cuando sean ejecutivas ello no resta su femineidad.
Joyas
Ropa interior muy femenina
Una bata de seda
Una blusa, sencilla pero elegante
Una muñeca
EVITE: Las enciclopedias
ENVOLTURA: Debe ser con un toque femenino

HOMBRE LEO

De gustos refinados se inclinan por lo exclusivo, agradecen los obsequios de calidad; prepare sus ahorros.
Una litografía firmada por supuesto
Un óleo, inspirado en su fotografía
Unas plumas chapeadas de oro
Una cadena de oro
Unas tarjetas de visita, elegantes
Papel de escritorio, con sus iniciales
Una agenda de piel, con iniciales grabadas
Un suéter de kashimir
EVITE: Adquirir saldos
ENVOLTURA: Muy elegante y en color dorado

MUJER LEO

Una de sus grandes cualidades es la femineidad, poseedora de un gusto exquisito agradece los detalles de buen gusto.
Un perfume de marca
Una pulsera de oro
Aretes de oro
Una mascada de seda
Un espejo
Un juego de pinceles de maquillaje
Un centro de cristal cortado
Una fotografía de ella enmarcada
EVITE: Los objetos de bajo costo
ENVOLTURA: Original con un gran moño dorado

HOMBRE VIRGO

Ordenados y pulcros, agradecen infinitamente cualquier obsequio que les ayude a organizar su casa o bien, a conservar la limpieza.
Jabones
Estuche de afeitar, averigüe su marca favorita
Sales para baño
Un archivero
Una caja para guardar y ordenar sus herramientas
Un estantero
Una agenda electrónica
Un estuche de viaje, para guardar lociones, cepillos
Un cepillo de cerdas naturales
EVITE: Los regalos de mal gusto
ENVOLTURA: Sencillo y sin adornos

MUJER VIRGO

Inteligente, ordenada y tranquila es la mujer del signo. También es fanática del orden y de la limpieza. Extremadamente femenina, agradece los presentes que se identifiquen con su forma de ser.
Un bolso
Un perfume
Una planta
Un revistero
Un reloj de pared o de pulso
Implementos de limpieza: jabones, sales, perfumes, sachettes
EVITE: Los obsequios de mal gusto
ENVOLTURA: Sin adornos, pero elegante

HOMBRE LIBRA

De gustos refinados, notan inmediatamente un cambio en las personas aún cuando éste sea imperceptible para los demás. Les seduce la originalidad, pero sobre todo agradecen cualquier regalo.
Una camisa de seda
Una pijama elegante
Una loción
Un suéter
Unas galletas, hechas por usted naturalmente
Una playera
Un libro
Un disco
Una película
EVITE: Los colores chillantes de moda, insultaría su buen gusto
ENVOLTURA: El papel y el moño deben ser del mismo color

MUJER LIBRA

Una de las mujeres más femeninas del zodiaco, inteligente y ha decir de los caballeros su comportamiento es adorable. Le fascinan los regalos que le ayuden a resaltar su encanto.
Un vestido
Una mascada
Un prendedor
Un juego de baño
Toallas con sus iniciales
Un pastillero
Un diario
Un florero
EVITE: En realidad no es una mujer exigente
ENVOLTURA: La envoltura y el moño deben hacer juego

HOMBRE ESCORPION

Hiperactivos, les desagrada perder el tiempo en lo que consideren tonterías, por ello mismo sugerimos les obsequie cosas que no requieran demasiado mantenimiento. Adoran las antigüedades. Diríjase a un bazar y adquiera algún objeto.
Una gabardina
Una licorera forrada de piel
Un ajedrez, aun cuando no lo juegue lo pondrá de adorno
Unas gafas, muy oscuras
Un gazné de seda
Dinero para que él se compre lo que desee
EVITE: Los objetos que le hagan perder tiempo
ENVOLTURA: Tradicionalmente, no se fijará mucho, adora los detalles

MUJER ESCORPION

Sensuales y enigmáticas son estas nativas. Tienen especial predilección por las cosas que resalten su belleza, también les atrae el misterio; creen en la buena suerte.
Un bello arreglo floral
Lentes oscuros
Una crema nutritiva
Un perfume de aroma exótico
Cualquier amuleto
Un libro de esoterismo o de astrología
Un juego de aretes
EVITE: Los regalos poco femeninos
ENVOLTURA: De ser posible enlate su obsequio le encanta descubrir cosas. Nunca les regale algo de color negro, porque se deprimen inconscientemente

HOMBRE SAGITARIO

En cuanto sus actividades lo permiten viajan a cualquier sitio que les haga olvidar la rutina. Buscan personas de buen carácter.
Una maleta
Un portatrajes
Un mapa
Unos guantes para conducir
Una linterna
Un termo
Una hielera
Unos pants
EVITE: Los regalos demasiado tradicionales
ENVOLTURA: Como usted lo desee, tampoco se fijan mucho en ese detalle

MUJER SAGITARIO

Huyen de las personas depresivas porque las consideran faltas de carácter. Son elegantes y también les fascina viajar.
Un neceser
Una bolsa de viaje
Un juego de maletas
Un libro con tema humorístico
Un vestido azul
Una blusa de seda
Una boina
Llévela a ver un espectáculo humorístico
Una mascota
EVITE: Regalar algo sobrio
ENVOLTURA: Con motivos alegres y un gran moño

HOMBRE CAPRICORNIO

La tendencia de los nativos es la de asegurar un estatus económico. Por lo tanto cualquier presente se debe relacionar al dinero.
Un clip, para los billetes
Una cartera
Una libreta de contabilidad
Una caja de seguridad, pequeña
Un reloj, son puntuales
Una calculadora
Unas damas chinas, les gustan los juegos de estrategia
EVITE: Los regalos muy costosos, pensará que usted es una derrochadora…
ENVOLTURA: En papel brillante con listones y un bonito moño

MUJER CAPRICORNIO

Le agradan los hombres espléndidos y detallistas, porque tienen buen gusto. Comúnmente aman el lujo y la comodidad. La marca es importante para estas nativas.
Un suéter
Un abrigo
Un vestido
Un organizador de cosméticos
Un alhajero musical
Guantes de piel
Zapatos finos
Una agenda de piel
EVITE: La bisutería, por más fina que sea
ENVOLTURA: Sencilla, le interesa el contenido

HOMBRE ACUARIO

Tienen debilidad por los objetos modernos, sobre todo electrónicos, como generalmente viven en su mundo les atraen los relojes.
Un reloj de pulso, original
Un encendedor
Una agenda electrónica
Un radio
Un cepillo eléctrico
Una videocassetera
Una lámpara, para leer
Una calculadora sofisticada
EVITE: Los regalos comunes que no despierten su imaginación
ENVOLTURA: En papel violeta y plateado

MUJER ACUARIO

Les atraen la tecnología y los objetos prácticos, les disgusta perder el tiempo sobre todo cuando están en la cocina. Obséquiele cosas modernas, se lo agradecerá infinitamente.
Un sacapuntas eléctrico
Una polvera musical
Una lámpara
Un exprimidor de naranjas
Una televisión de bolsillo, le gusta estar informada
Un muñeco de peluche, también es romántica
Un reloj para viaje
Un despertador
Una máquina eléctrica
EVITE: Los objetos convencionales
ENVOLTURA: Con papel muy brillante en violeta y plateado

HOMBRE PISCIS

Los regalos siempre levantan el ánimo de los piscianos, recordemos su eterna melancolía. No tienen predilección por algo en especial disfrutan lo antiguo o lo moderno, pero su gusto es refinado.
Un baúl antigüo
Un cuadro modernista
Un disco de música clásica o de música romántica
Un libro de temas esotéricos
Un radio, adquiéralo en un bazar
Objetos antigüos en general
Invítele una cena en la intimidad de su hogar
EVITE: Los regalos lúgubres
ENVOLTURA: Con papel de colores vivos y un bonito moño

MUJER PISCIS

Son románticas y depresivas, les agrada recibir obsequios porque de alguna manera se les demuestra cariño. Recuerde, a ella le fascinan las constantes muestras de afecto.
Un ramo de flores
Una figura de porcelana
Un juego de té
Una licorera de cristal
Un perfumero, antigüo
Un juego de tocador
Un juego de copas de cristal cortado
EVITE: Los regalos sin imaginación
ENVOLTURA: Debe ser muy femenina. Si realmente quiere impactar diríjase a una tienda especializada en envolturas y que formen una flor en el moño

CALENDARIO LUNAR 1993

Las fases lunares son básicas en el perfecto funcionamiento de sus recetas. Usted debe conocerlas éstas aparecen de la siguiente manera:

LUNA NUEVA: También denominada oscuridad de la luna o tierra. Hay quien la nombre como: luna negra –se presenta cada veintiocho días y es cuando el Satélite desaparece del cielo. Esta fase es conveniente para hacer trabajos potentes dentro de la magia, pero también es benéfica para: iniciar actividades, abrir negocios, recortarse las puntas del cabello, someterse a una operación quirúrgica, sembrar, pintar una casa o extraerse una pieza dental.

LUNA CRECIENTE: Cuando oiga nombrar el cuarto creciente indudablemente trátase del principio del ciclo y su poder es tan benéfico como la fase anterior... Asimismo, renueva intereses amorosos, favorece la economía, pero además si desea contraer matrimonio, construir o iniciar un romance esta fase es la ideal.

LUNA LLENA: Esta comprobado científicamente que afecta el comportamiento de los seres humanos. Astrológicamente perjudica a los cancerianos ya que están regidos por el Satélite. Mágicamente es una fase adecuada para hacer ejercicios de magnétismo personal, elaborar talismanes, energetizar amuletos y utensilios. También puede utilizarla para realizar alguna práctica que le ayude a tener un sueño profético y puede hacer una receta cuya duración sea de un año. Necesita renovar el hechizo en la luna nueva.

LUNA MENGUANTE: Evite someterse a operaciones quirúrgicas, cortarse el cabello... En la magia funciona para retirar enemigos, pero también ayuda a influir social y políticamente o cambiar actitudes de la gente hacia usted, más no en el aspecto sentimental.

F E C H A S

LUNA NUEVA

Enero 22	Abril 21	Julio 19	Octubre 15
Febrero 21	Mayo 21	Agosto 17	Noviembre 13
Marzo 23	Junio 20	Septiembre 16	Diciembre 13

LUNA CRECIENTE

Enero01-31	Abril 29	Julio 26	Octubre 22
Febrero 01	Mayo 28	Agosto 26	Noviembre 21
Marzo 01-31	Junio 26	Septiembre 22	Diciembre 20

LUNA LLENA

Enero 08	Abril 06	Julio 03	Octubre 01
Febrero 06	Mayo 06	Agosto 02	Noviembre 29
Marzo 08	Junio 04	Septiembre 01-30	Diciembre 28

LUNA MENGUANTE

Enero 15	Abril 13	Julio 11	Octubre 08
Febrero 13	Mayo 13	Agosto 10	Noviembre 07
Marzo 15	Junio 12	Septiembre 09	Diciembre 06

EPILOGO

ESPERAMOS QUE ESTA RECOPILACION le ayude a conocerse mejor y desde luego llevar a efecto los consejos que nos permitimos sugerirle... En las promociones nos han preguntado: "Me casé con una persona que no es afín a mi signo". Generalmente contesto, que todos los signos con amor y paciencia son compatibles mayormente cuando se tiene el conocimiento de la personalidad de quien nos interese. Por otro lado, cuando usted amable lector lea la frase: "De estar mal aspectado" recuerde que la posición de los astros es básica para determinarlo. Asimismo dado que el ascendente confiere los rasgos fisonómicos de cada persona muchas veces estos pueden combinarse con los del signo solar...

JAMAS ROBE UN LIBRO ya sea de magia o el ***ZODIAMAGICO*** ya que en el primer ejemplo nulificaría la fuerza de sus recetas y, en este caso publicamos: El Secreto de los Arcángeles y de los Anillos pero al tratarse de revelaciones ocultas se anularía el buen funcionamiento de las mismas... Es decir, un robo implica un atraso material y espiritual especialmente para quien lo efectúe por ende se pierde la fuerza blanca y mágica. Antes de concluir agradezco a todas las personas que han participado en la elaboración de este ejemplar ya sea con su trabajo creativo o en la corrección de estilo especialmente a Luz María López Lara y Zita Rodríguez quiénes cedieron su tiempo para la revisión de este ejemplar a Gilberto Velázquez por su paciencia y a usted amable lector por adquirirlo...

KAREN LARA
Noviembre 1992

EN 1993 KAREN LARA PUBLICARA:

"PODEROSOS SECRETOS DE MAGIA BLANCA"

LA AUTORA IMPARTE SEMINARIOS SOBRE MAGIA BLANCA, ASTROLOGIA, CUARZOS Y NUMEROLOGIA

INFORMES: 574-72-18 Y 207-09-96

KAREN
LARA

RECETARIO de
MAGIA
BLANCA

16ª
EDICION

Más de 200,000
Ejemplares Vendidos

Fórmulas para Resolver
los Problemas que te Afligen

EDAMEX

Si desea escribir a la Srta. Lara, dirija su correspondencia al Apartado Postal 107-084 México, D.F. Admón. Urbana 7 C.P. 06700. Favor de enviar timbres.

ZODIAMAGICO, en su primera reimpresión, quedó totalmente impreso y encuadernado en el mes de febrero de 1993 en los talleres de Compañía Editorial Electro-Comp, S.A. de C.V. Calz. de Tlalpan No. 1702 Col. Country Club. México, D.F. La edición consta de 10,000 ejemplares.